EL PERRO

SU ADIESTRAMIENTO
Y ENTRENAMIENTO

ANIMALES DOMESTICOS

SU ADIESTRAMIENTO
Y ENTRENAMIENTO

Ernest H. Hart

Contiene 47 ilustraciones
(18 fotográficas a todo color
y 29 esquemáticas en blanco y negro)

Segunda edición

EDITORIAL HISPANO EUROPEA, S. A.

BARCELONA (ESPAÑA)

Título de la edición original: **Dog Training.**

© de la traducción: **Conrad Niell i Sureda.**

Depósito Legal: B. 38571-1990.

ISBN: 84-255-0860-6.

1.ª reimpresión: marzo 1992

IMPRESO EN ESPAÑA PRINTED IN SPAIN

LIMPERGRAF, S. A. - Carrer del Riu, 17 (Nave 3) - 08291 Ripollet

1

Prólogo previo al adiestramiento

El propósito de este libro es proporcionarnos la debida preparación para que podamos adiestrar nuestro perro de la forma más rápida y más fácil posible. Ahora bien, antes de que procedamos a considerar el proceso de adiestramiento, nos resulta imprescindible entender primero los aspectos fundamentales que constituyen la base de una labor coronada por el éxito. En otras palabras, debemos entender el «porqué» antes que el «cómo», de forma que sepamos la razón por la cual llevamos a cabo determinada acción para conseguir un resultado específico.

Existen muchos niveles de adiestramiento canino, pero ante todo debe figurar el de carácter fundamental o básico. Tras éste, sigue el de participación en competiciones, el de obediencia en grado superior, que incluye el de seguimiento de pistas y distinción de olores, el de labores de guarda o técnicas de ataque, y este último es parte fundamental de la preparación básica a que se someten muchos perros importados, en especial los pastores alemanes provenientes de su área original, en la que dicha preparación recibe el nombre de adiestramiento para la protección. Cabe considerar, asimismo, los aspectos de carácter muy especial que llevan implicados la preparación de los perros de caza así como la de los destinados a guarda de rebaños, a labores policíacas, a actividades militares, a arrastre de trineos, a mostrar habilidades circenses, a cometidos de salvamento, a servir de animales de tiro o para labores de vigilancia, y a actuar como guías para ciegos. Hacemos mención de estos últimos aspectos de la preparación canina meramente para destacar hasta qué grado puede llegar el adiestramiento especializado. En este libro nos ocuparemos, principalmente, del adiestramiento fundamental o básico, y nuestro objetivo será el de conseguir que nuestro perro sea un ciudadano canino óptimo, cuyo comportamiento resulte impecable en nuestro hogar, en nuestro coche, en la calle y cuando vayamos de visita.

LA CLAVE DEL ADIESTRAMIENTO

La clave que preside todo adiestramiento canino, elemental o avanzado, es el *control*, el cual se consigue mediante el dominio sobre el perro a través de un condicionamiento de los reflejos del animal, lo cual significa modelar sus reacciones a los estímulos externos. Por ejemplo, si llamamos a nuestro cachorro hambriento con un «bip, bip» cada vez que vamos a darle de comer, lo condicionaremos de forma que acudirá a nosotros para recibir comida al asociar este acto con el sonido que acompaña a nuestra llamada. Más adelante, cabe eliminar la comida, pero la reacción del cachorro ante el «bip, bip» resultará provocada por sus reflejos condicionados y acudirá corriendo con el mismo entusiasmo de antes, cuando recibía comida como recompensa.

Una vez hayamos conseguido este control sobre nuestro perro, podemos, si así lo deseamos, pasar del adiestramiento básico al avanzado o especializado en cualquier campo. Los únicos límites por lo que respecta a aprender, siguiendo un proceso adecuado, son los que en él concurren en el aspecto mental, físico o genético, ya que ningún ejemplar de cualquier raza se halla dotado de forma que pueda asimilar los conocimientos inherentes a todas las ramas activas del adiestramiento especializado. Por supuesto, no son muchos los poseedores de perros que cuentan con las calificaciones o la experiencia necesaria para adiestrar a su animal de modo que sea capaz de llevar a cabo labores altamente especializadas, pero cualquier poseedor de un perro puede impartir a éste, y de hecho es su **deber** hacerlo, el adiestramiento necesario para asegurar su buen comportamiento y una conducta educada. Un perro que carece de control puede convertirse en una molestia, e incluso en una amenaza que se traduzca en disgusto y aflicción para su poseedor y en una tragedia para sí y para los demás.

La *coherencia* y la *firmeza* son elementos afines al *control* y, con este trío de virtudes (control, coherencia y firmeza) asentadas en nosotros mismos, podemos estar seguros de alcanzar el éxito en el adiestramiento. Mostrémonos firmes y coherentes e insistamos en que el cachorro obedezca una vez sepa qué es lo que esperamos de él. No debemos permitirle jamás que realice una acción contraria a nuestros deseos.

Otros elementos importantes del adiestramiento son: mantener breves los períodos de adiestramiento, de diez minutos en los primeros momentos y prolongándolos a medida que vayamos avanzando, pero nunca más allá del instante en que nuestro cachorro o nuestro perro se muestra nervioso y pierde interés; valernos de palabras enérgicas, breves y claras, para dar las órdenes y preceder siempre todas ellas con el nombre del perro para captar su interés de inmediato; considerar el período de adiestramiento seriamente y tratar de programarlo de forma que coincida con un momento específico todos los días en que no se produzcan interrupciones externas; regañar a nuestro cachorro cuando no obedezca, y alabarlo y premiarlo cuando siga nuestras indicaciones.

No debemos mostrarnos partidarios de medidas drásticas en la disciplina. Si nuestro perro nos quiere, es medianamente sensible y cuenta con un cierto grado de inteligencia canina, podremos adiestrarlo si seguimos las instrucciones y sugerencias que aparecen en este libro. Si, por el contrario, no posee los atributos mencionados, si no siente simpatía o no muestra interés hacia nosotros, si es lento de comprensión y carece de capacidad de reacción, entonces lo conveniente es desprenderse de él y adquirir otro nuevo (y ésta es una solución que cabe recomendar altamente), pues intentar adiestrar un animal así requeriría la paciencia y la perspicacia de un santo, y con ello no nos referimos a la raza del San Bernardo.

El castigo físico directo sólo debe aplicarse en una sola y única situación: la de que nuestro perro, en forma voluntaria y malintencionada muerda. En tal caso debe ser castigado de inmediato y en forma drástica, y hacerle comprender que este acto que ha cometido no será tolerado ahora ni nunca. El castigo físico como sistema general de punición debe evitarse. Nuestro perro nos quiere y desea complacernos, y es lo suficientemente sensible ante nuestros diferentes estados de ánimo como para saber, según el tono de nuestra voz, cuándo estamos disgustados. Riñámosle de palabra cuando no se porte bien y alabémosle y recompensémosle cuando se porte de un modo correcto. Evitemos la utilización de papel enrollado (el cual no duele, según afirman la mayoría de quienes son partidarios de este método, pero asusta mucho debido al ruido que hace), escobas, látigos, la correa, la mano o cualquier otro medio que podamos imaginar para golpear como medio de castigo. Nuestro perro quizá reaccione negativamente, más adelante, a este proceder. Si golpeamos a nuestro perro con la mano, quizá se vuelva temeroso al menor movimiento que hagamos con ella; un periódico enrollado puede que acabe convirtiéndose en el motivo para que eventualmente se muestre agresivo contra el repartidor; también mostrará inclina-

Tanto si adiestramos a nuestro perro para mostrar sus habilidades como para obeceder a diferentes órdenes, los principios son los mismos: condicionar al animal a través de la repetición, para que responda de determinada manera, y premiarlo cada vez que lleve a cabo en forma correcta una labor particular

ción a correr y a esconderse cuando alguien barra el suelo si utilizamos una escoba para golpearlo; y, en cuanto a la correa, aparecerá ante él como algo de lo que conviene apartarse.

EL PROFESOR

Examinemos ahora al profesor y a su alumno para ver si unas cuantas observaciones pertinentes pueden resultar de ayuda en el programa de adiestramiento que se va a iniciar. Nosotros, en nuestra calidad de profesor o de adiestrador, queremos al perro y por ello nos mostramos inclinados a ser algo tolerantes. Si es así, jamás conseguiremos los resultados apetecidos. Hagamos que nuestro perro lleve a cabo cada ejercicio de forma exhaustiva, y recordemos que para alcanzar este resultado deberemos mostrarnos consecuentes. A tal fin no se puede omitir ninguno de los movimientos encaminados a la preparación del perro, y hay que pronunciar cada una de las voces de mando de un mismo modo cada vez. Por ejemplo, no debemos llamar a nuestro perro diciendo: «Pipo, ¡ven!» durante una sesión de adiestramiento para pasar, en la sesión siguiente, a: «Pipo, ¡aquí!», y esperar que el animal nos comprenda y lleve a cabo la acción con presteza y sin vacilación alguna. La incoherencia no hace más que confundir al perro.

El factor más importante de todos, como ya se ha dicho anteriormente, es el control. No obstante, para conseguir que sea de carácter completo sobre nuestro perro es preciso que primero hayamos alcanzado un control absoluto sobre *nosotros mismos*. Si durante el adiestramiento perdemos la paciencia, también perdemos con ello el control. Gritar, repetir con exceso, reñir en tono enfadado, mostrar enojo que se traduzca en castigo físico, y exasperarse en grado acusado, no da otro resultado que el de confundir a nuestro alumno canino. Si no obedece, ello supone que la lección no ha sido aprendida del todo o que el perro se ha asustado ante nuestra forma de comportarnos. Lo que necesita es recibir enseñanzas, no castigos. Y nosotros, por nuestra parte, necesitamos tomar muy buena nota, y además ejercer un estricto control sobre nuestras veleidades temperamentales. El tiempo dedicado al adiestramiento debe ser tomado en serio, pero sin dejar de resultar agradable y constituir un momento de fácil comunicación entre nosotros y nuestro perro, un momento en que se establezca una relación que venga a intensificar la comprensión y convierta el espíritu de compañerismo mutuo en un placer cada vez mayor.

Las palabras breves y claras, tales como «¡siéntate!» y «¡levántate!», suponen órdenes que funcionan bien

EL ALUMNO

Evaluemos ahora la presunta inteligencia del alumno, así como su carácter y los rasgos caninos. Su visión no es tan aguda como la nuestra, pero se muestra muy rápido en advertir el movimiento. El sonido y el olfato son sus medios principales de comunicación con el mundo que le rodea, y en estos ámbitos es infinitamente superior a nosotros. Debemos establecer comunicación con él, por tanto, a través de la voz y los gestos, y ser conscientes de que se muestra muy sensible a cualquier cambio en la tonalidad y entonación al dar las voces de mando. Por consiguiente, cualquier orden que demos ha de poseer un valor específico en cuanto al tono y responder a su propósito. La palabra «¡no!», utilizada para reprender, ha de expresarse con un tono seco y poniendo de manifiesto cierto disgusto, mientras que la expresión «¡buen chico!», utilizada como alabanza, debe pronunciarse en un tono suave y agradable. Las palabras, como tales, carecen de significado para el perro; es sólo el tono con que se pronuncien lo que queda registrado en su mente.

Todas las palabras que suponen una orden positiva han de pronunciarse en un tono seco y claro, valiéndose para ello de una «voz de adiestramiento» especial que deberemos cultivar para esta labor específica. Antepongamos a cada orden el nombre del perro. La primera palabra que aprende un cachorro es la que corresponde al sonido de su nombre; por tanto, valiéndonos de éste atraemos de inmediato su atención y él se muestra dispuesto a oír y obedecer la orden que sigue a continuación. Por consiguiente, cuando queremos que nuestro perro venga a nosotros y su nombre sea «Tom», damos la orden: «Tom, ¡ven!».

Refiriéndonos de nuevo a nuestro alumno canino, debemos tener presente que el nivel de inteligencia varía entre los perros al igual que ocurre con los humanos. La capacidad de aprender y ejecutar órdenes viene limitada por su inteligencia, así como por facetas de su carácter y su fuerza física. Esto afectará a su predisposición, energía, sensibilidad, agresividad, equilibrio básico y capacidad funcional. Con ello queremos significar que el perro sensible debe ser tratado con mucho mayor cuidado y suavidad durante el adiestramiento que otro animal que lo sea menos. Los perros agresivos deben ser adiestrados con gran firmeza; si se trata de un animal que posea un defecto físico que dé lugar a que determinados aspectos del adiestramiento le resulten penosos, no cabe esperar que lleve a cabo tales cometidos de un modo voluntarioso.

Como ejemplo de esta última faceta del adiestramiento, podemos valernos de la experiencia de un adiestrador que poseía un perro que mostraba gran predisposición a seguir las órdenes y resultaba de fácil adiestramiento, pero se retraía invariablemente cuando debía efectuar el gran salto. El adiestrador se sentía confuso ante esta extraña conducta y no podía encontrar razón alguna que la explicase, hasta que un día tuvo ocasión de filmar sus perros en acción. Cuando llegó el

Algunas razas de perros se hallan mejor dotadas que otras para actuar como animales de muestra en la caza

momento de la escena en que aparecía este animal específico mostrando gran resistencia a efectuar el gran salto, ralentizó la película... y encontró la respuesta a su problema. Los hombros del perro no tenían la angulación apropiada y ello daba lugar, después de efectuar el gran salto, a que las articulaciones del hombro no contasen con la capacidad de amortiguación suficiente, y que el animal diese, invariable y dolorosamente, con su barbilla contra el suelo antes de poder recuperar su equilibrio.

LIMITES DEL ADIESTRAMIENTO

Existen ciertos límites más allá de los cuales no puede llegar nuestro perro en su adiestramiento, o quizá deberíamos decir más allá de los cuales resulta absurdo tratar de empujarle. Estos límites vienen establecidos por sus normas de conducta determinadas por su herencia genética. Por ejemplo, resulta fácil enseñar a un *setter* inglés que muestre o señale la caza. Esta es la labor para la cual ha sido adiestrado y, tras este impulso básico de mostrar la caza, existen innúmeras generaciones de *setters* ingleses que han sido seleccionados precisamente por este rasgo. De hecho, podemos remontarnos a este respecto a la época en que algunos cazadores tuvieron ocasión de ver cómo ciertos *spaniels* se detenían y señalaban la nidada escondida de aves antes de que éstas alzasen el vuelo. El hombre lo eligió por este rasgo y con ello evolucionaron gradualmente todas las razas de perros de muestra.

En la mayoría de razas encontraremos una genealogía similar, es decir, la selección, por parte del hombre, de determinados rasgos que encaminaron la raza hacia un uso o propósito específicos. No resultaría posible, por tanto, intentar adiestrar un perro faldero, para señalar aves en un terreno de caza o llevar a cabo alguna de las labores propias de un ejemplar de caza.

El perro faldero es un animal que no se encuentra físicamente dotado para ninguna de las labores de caza. Si deseamos adiestrar un perro para que muestre o señale la caza, deberemos elegir un ejemplar entre las muchas razas que se utilizan para este fin. Asimismo, si queremos un perro que pueda ser adiestrado para guardar ovejas, deberemos ignorar los de caza y escoger entre las razas que han sido criadas durante generaciones para esta tarea específica.

OTRAS SUGERENCIAS PARA EL ADIESTRAMIENTO

Tratemos siempre de dar cima al período de adiestramiento con una nota feliz que imbuya, tanto a nosotros como a nuestro alumno, una sensación de logro. Como nos será fácil comprobar, nuestro perro llevará a cabo algunas de sus lecciones con mayor satisfacción que otras, debido, probablemente, a que se ajustan en mayor grado a su norma de conducta. Cabe citar, a este respecto, recoger un objeto que ha sido lanzado y traérnoslo de nuevo, lo cual ha de ser una lección fácil de aprender para el perro perteneciente a una raza caracterizada por su utilización en la caza de aves. Poner fin a cada período de formación con una sensación agradable de logro nos ayudará, a nosotros y al perro, a iniciar la siguiente sesión de adiestramiento con verdadera impaciencia.

Tanto el castigo como la alabanza han de aplicarse *inmediatamente* después de que el perro haya llevado a cabo la acción que lo haga merecedor de una de tales medidas. La memoria de un perro, y en particular la de un cachorro, es muy limitada, y poco después de que haya llevado a cabo una acción punible la ha olvidado por completo. Es mejor, especialmente cuando resulta necesario castigar al animal, sorprenderlo cuando está llevando a cabo su fechoría.

Nunca se comenzará un período de adiestramiento inmediatamente después de que el perro haya recibido su comida, pues se mostrará indolente y sin la capacidad de reacción que querríamos ver en él. En cambio, cuando su estómago se encuentra vacío, se muestra más ansioso de complacer, mucho más vivaz, y especialmente deseoso de recibir la golosina que podamos utilizar como recompensa. Esta golosina puede estar constituida por cualquier tipo de alimento por el cual el perro muestra gran inclinación: un pequeño trozo de hamburguesa, de hígado cocido o de galleta, o cualquier producto comercial que resulte apetitoso. Este complemento debe ser utilizado cuando adiestramos a nuestro cachorro, pero cuando ya se halla más crecido y ha avanzado en su adiestramiento, la mejor recompensa que podemos darle es nuestra alabanza a través de un tono de voz adecuado y acariciándolo.

Es mejor que sea una sola persona la que adiestre al perro. Dos o más trabajando al unísono con un mismo animal confunden a éste y provocan una subsiguiente ausencia de seguridad en su actuación.

Comencemos el adiestramiento del perro asumiendo que nuestro alumno es inteligente y que si no parece capaz de entender ninguna de las lecciones que intentamos inculcarle, ello débese a que no nos valemos del método correcto de adiestramiento y, por tanto que, toda la culpa es *nuestra,* no del perro. En nuestro pensamiento debemos dejar bien sentada la idea de que lo opuesto a «alabanza» no es «castigo». Al contrario, pensemos que es «corrección». En otras palabras, alabemos a nuestro perro por su actuación, y lo corregimos (no castigamos) cuando comete un error.

A falta de una obra sobre psicología del perro o un estudio sobre normas de conducta canina, lo que acabamos de leer es más o menos todo lo que necesitamos saber como medida preliminar antes de iniciar el adiestramiento. Además de determinación, paciencia y enfoque correcto del problema, que esperamos haber comprendido ya, necesitaremos un collar de cuero suave, un collar de cadena de tipo ligero y una correa larga de adiestramiento.

La determinación es un factor importante en el adiestramiento, especialmente si nuestro alumno es joven, ya que con una mirada triste un cachorro de 5 kilos puede convertir en un idiota sentimental al hombre más duro y rudo, y con cien kilos de peso. Recordemos este hecho con relación a nuestro pequeño pícaro, cuando comencemos su adiestramiento.

2

Adiestramiento temprano

El adiestramiento comienza en el instante en que los cachorros, todavía en el cajón de alumbramiento, experimentan el contacto de la mano de su criador y oyen el sonido de su voz. Cuando se procede a destetarlos, el criador generalmente los llama, ya sea mediante un sonido cualquiera con la boca o diciendo: «¡Venid!», para que acudan a probar la comida que les ha preparado. El cachorro asocia la presencia del ser humano y el sonido que hace éste con una experiencia agradable, y acude de inmediato cuando lo oye o lo ve.

Algunos criadores colocan collares de tipo suave unidos a un corto trozo de cuerda a los cachorros cuando éstos todavía se encuentran en el cajón de alumbramiento. Durante sus juegos, a lo largo del día, agarran con sus dientes dichos trozos de cuerda y tiran de ellos, con lo que se encontrarán más preparado para acostumbrarse más tarde a la correa.

Después de haber adquirido nuestro cachorro, cojámoslo con frecuencia y enseñémosle a mantenerse de pie a una distancia igual a la de nuestro brazo sin moverse. Esto resulta fácil de hacer, simplemente sosteniéndolo en esta posición y alabándolo cuando adopta la correcta, utilizando la expresión: «¡En pie!» mientras lo acariciamos.

Esto permite prepararlo para asearlo fácilmente o para concurrir a exposiciones caninas, si es un ejemplar tan bueno como para ello, o para adoptar la posición «¡en pie!» en la fase final de su adiestramiento. Enseñar al cachorro a permanecer en pie, a acudir cuando lo llamamos y a soportar la correa, lo prepara para el adiestramiento general al que deberá someterse en el futuro. En este adiestramiento precoz, lo que tratamos de conseguir es amoldar con suavidad el cachorro a nuestra voluntad y a establecer una asociación amistosa que conduzca de un modo natural y fácil al adiestramiento más rígido y estricto del futuro.

«NO», «FEO» Y «VEN»

Nuestra primera labor de adiestramiento es enseñar al cachorro a acudir cuando lo llamemos. Para conseguirlo, primero deberemos familiarizarlo con el nombre que le hayamos elegido. En cualquier oportunidad, ya sea mientras jugamos con el cachorro o al detenernos por un instante a acariciarlo, deberemos dirigirnos a él por su nombre. Cuando vayamos a darle la comida, o simplemente una golosina, hagamos que acuda a nosotros, aunque sólo se halle a un paso de distancia, y digamos, por ejemplo: «¡Jerry, ven!». Transcurrido un período muy breve de tiempo, cualquier perro normal responderá al oír su nombre y vendrá al ser llamado, ya que asocia una recompensa con el sonido de su nombre y el de la palabra que sirve para llamarlo a nuestro lado.

«¡No!» y «¡Feo!» son palabras asociadas que deben aprenderse desde un primer momento. Deben pronunciarse en un tono admonitorio y en forma tal que el cachorro sepa que sea lo que fuere lo que haya hecho para provocar que se le dirijan tales términos, ha de estar mal y no debe repetirse.

«¡No!» debe emplearse cuando el cachorro es descubierto royendo algo que no debiera, como una alfombra, el mobiliario o nuestro mejor par de zapatos. Por supuesto existe una razón para esta tendencia a roer. Se halla en período de dentición y, al proceder de este modo, alivia el dolor que experimentan sus encías. También sabe, de forma instintiva, que para eliminar los dientes que se mueven y dejar paso a otros nuevos debe roer alguna cosa.

¿Cómo hacer frente a este problema? Simplemente, aplicando un poco de sentido común. Proporcionemos al cachorro algo que pueda roer (por ejemplo un Nylabone, descrito al final de este capítulo). Utilizando la palabra «¡No!», reforzada con la expresión de alabanza «¡buen chico!» pronunciada en un tono adecuado de voz, enseñamos al cachorro a saber distinguir entre lo que puede y lo que no puede roer para aliviar sus doloridas encías.

El adiestramiento debería comenzar lo antes posible, preferiblemente cuando el perro es todavía un cachorro

A menudo, el cachorro, con su espíritu juguetón, comienza entreteniéndose con los zapatos y las cortinas de la casa y con otros objetos diversos, antes de darse cuenta de que también es divertido roerlos. Para evitar esta situación desagradable, deberemos proporcionar al cachorro algunos juguetes adecuados para que se entretenga. Un poco de sentido común en estos sencillos y tempranos problemas puede ahorrarnos gastos y perjuicios. En términos de adiestramiento, pensemos en el cachorro como lo haríamos respecto a un niño demasiado pequeño para razonar.

La palabra «¡Feo!» (o «¡Malo!») utilizada en adiestramiento se asocia generalmente con la habituación ambiental, pero también cabe emplearla al enseñar al cachorro a no roer artículos u objetos del hogar. Esa orden debe proferirse con tono de acusado disgusto.

«¡No!» se utilizará durante todo el adiestramiento del animal (o, de hecho, duranta toda su vida) para que se dé cuenta, cuando se pronuncia, que ha hecho algo mal o que está a punto de hacerlo.

Si nuestro cachorro es sorprendido mientras roe algo que se supone no debe tocar, se empleará un «¡no!» pronunciado en tono firme

HABITUACION AMBIENTAL

Esta es con frecuencia la tragedia del que carece de experiencia en el trato con perros pero, con unos conocimientos básicos y algo de paciencia, no es necesario que resulte una carga tan terrible como se afirma que es. En primer lugar, deberemos descubrir el lugar donde un cachorro hace generalmente sus deposiciones y cuándo lo hace. Con ello dispondremos de un medio de información previa y pertinente.

Los perros tienden a hacer sus deposiciones en puntos que ellos, u otros perros, han utilizado anteriormente, y acudirán de nuevo a dichos puntos si cuentan con la oportunidad para ello. Un cachorro, casi en forma inevitable, hará sus deposiciones inmediatamente después de beber o de despertarse, y den-

→
Bouvier de Flandes aprende la posición «sentado-quieto». Jack y Susan Van Vliet, propietarios

tro de un plazo máximo de media hora después de comer. Evitemos cualquier desastre llevándolo inmediatamente al punto que queremos que utilice. Si lo estamos preparando para salir al exterior, y después de haberlo sacado al aire libre ensucia el suelo o las alfombras al volver a entrar, deberemos hacerle comprender que se ha portado mal. Riñámosle con la palabra «¡Feo!» repetida varias veces, y llevémosle de nuevo al exterior. Alabémosle incluso exageradamente cuando haya aprovechado su salida al aire libre. Si lo sorprendemos preparándose para hacer sus necesidades dentro de la casa, un rápido y tajante «¡no!» con frecuencia detendrá la acción y nos dará tiempo para sacarlo afuera. Jamás debemos restregar su hocico con sus excrementos como castigo. «¡No!» o ¡Feo!», dicho en tono apropiado, resulta castigo suficiente.

HABITUACION AL USO DE PAPEL

Si el cachorro que hemos adquirido nació y fue destetado en un cajón forrado con papel, acostumbrarlo a que utilice éste para sus deposiciones será tarea fácil. Cualquier material que haya tenido bajo sus patas en su cajón antes de traerlo a casa, tendrá gran importancia respecto a la rapidez con que vaya a conseguir su habituación. Ha sido condicionado y, por tanto, preferirá hacer sus deposiciones sobre la misma clase de material que ha tenido hasta entonces bajo sus pies y que ha venido utilizando para este fin desde que ha nacido.

El papel debe colocarse en un lugar específico y no quitarlo de allí; el mejor punto es un rincón del cuarto de baño, aun cuando muchas personas prefieren un rincón alejado de la cocina. Observemos al cachorro para descubrir los indicios que ponen de manifiesto que está a punto de aliviarse y, cuando comience a agacharse, llevémoslo inmediatamente hasta el punto donde se encuentra el papel y retengámoslo allí hasta que haya terminado. Después, se le alabará calurosamente y le diremos cuán buen perro es. Mostrémonos consecuentes y jamás permitamos que acuda a ningún otro lugar de la casa sin reñirlo y llevándolo hasta el papel para enseñarle el lugar al que *debería* haber ido. Antes de lo que creemos (o esperamos) el cachorro se habrá mentalizado en el sentido de que debe ir al lugar al que queremos que vaya cuando la naturaleza lo exige, y utilice el papel que hemos dispuesto para él.

Evitemos pegar al cachorro que ha hecho sus deposiciones en el punto equivocado. En lugar de ello, debemos reñirlo con la expresión «¡feo!» o «¡malo!» pronunciada varias veces

Incidentalmente, es mejor, cuando adquirimos un cachorro, llevarlo a su nuevo hogar al comienzo de un fin de semana.

Destinaremos todo dicho fin de semana a conseguir que el recién llegado se sienta como en casa, y su habituación ambiental. Si lo observamos durante todas las horas en que permanece despierto y lo sorprendemos cada vez que ha de hacer sus necesidades, mostrémosle el punto en que queremos que lo haga y adiestrémoslo para que acuda allí. Aun cuando será un fin de semana algo tedioso, nos proporcionará grandes rendimientos al reducir el tiempo necesario para habituar al cachorro a base de muchas horas e incluso días. Algunos cachorros de más edad pueden ser habituados casi por completo en el curso de una semana de adiestramiento intensivo.

HABITUACION AL USO DE UN CAJON

Si preferimos adiestrar a nuestro cachorro para que haga sus deposiciones en un cajón, el material que utilicemos para revestir dicho cajón es importante. Si nació y fue destetado en un cajón con serrín o virutas de madera, proporcionémosle estos materiales en el cajón de borde bajo en el que queremos que haga sus necesidades. Sea cual fuere el material que haya tenido bajo sus patas antes de llegar a nuestro poder, deberemos seguir utilizándolo en nuestro cajón. Mostrémosle lo que queremos que haga respecto a éste, al igual que en el caso de utilizar sólo papel, y pronto acudirá al punto deseado cuantas veces lo necesite.

HABITUACION AL MEDIO EXTERIOR

Los cachorros que han sido criados en un cercado con piso de tierra son los más fáciles de habituar. Basta con llevarlos al jardín cuando estén en condiciones para ello y, al sentir una textura familiar bajo sus patas, pronto se acostumbrarán. Exceptuados los que poseen perros de muy pequeño tamaño, el objetivo de cualquier propietario de un can es adiestrar eventualmente el suyo para que salga al exterior y haga allí sus deposiciones, aun cuando haya comenzado valiéndose de papel o de un cajón para habituarlo a ello. Para conseguir este propósito, el papel o el cajón previamente utilizado por el cachorro debe ser llevado al exterior, y se acompañará al animal hasta ellos cuando creamos que es el momento de hacer sus deposiciones. El cachorro, a través de su capacidad olfativa, sabe para qué ha sido utilizado el papel o el cajón y generalmente no tendremos problema alguno para instarlo a utilizarlo de nuevo con idéntico fin.

Para llegar al punto en que el cachorro ya no necesita por más tiempo el papel o el cajón (y utilice el suelo en su lugar), se requiere un poco de tiempo. La cantidad de papel debe reducirse gradualmente hasta que llegue el momento en que no quede nada. El material dentro del cajón debe ser separado, después de los primeros días, y permitir al cachorro que lo utilice sin cajón. A medida que transcurre el tiempo, debere-

←

Su perro puede aprender a ir en coche como un pasajero más

Los perros de competición deben ser acostumbrados, desde temprana edad, a llevar collar y correa, al objeto de que se les pueda manejar con pocas dificultades en la pista

mos eliminar cada día una parte de dicho material hasta que sólo quede la tierra o la hierba. Cuando este deseado momento llegue, nuestro cachorro deberá estar ya completamente habituado. ¡Felicidades!

Incidentalmente, cabe señalar que cuando trasladamos el papel desde la casa al jardín, probablemente deberemos inmovilizarlo con piedras en cada ángulo pues, si no es así, nos despertaremos una mañana y encontraremos que este elemento de habituación ha salido volando.

Hemos subrayado hasta aquí la conveniencia de utilizar, bajo las patas del animal y durante la habituación, el mismo material a que el cachorro se halla acostumbrado. Existe, no obstante, un método de cría que, bajo ciertas circunstancias, puede ser causa de problemas para el poseedor novato. Nos referimos a la utilización de perreras con fondo de tela metálica y algo levantados respecto al suelo. La idea que subyace en este tipo de perreras es mantener a los cachorros apartados de la posibilidad de una autoinfestación de lombrices o coccidiosis, al permitir que los excrementos pasen a través de la tela metálica y caigan en el suelo que se halla debajo. Sin embargo, al estar acostumbrado el cachorro a tener tela metálica bajo sus patas cuando responde a la llamada de la naturaleza, buscará una superficie similar en nuestro hogar. Por consiguiente, si contamos con calefacción central o por aire caliente, con las rejillas en el suelo, no debemos adquirir un cachorro como el descrito, o bien introduzcamos cambios en nuestro hogar antes de que procedamos a comprarlo.

Podemos evitarnos muchos problemas si recordamos unas pocas y sencillas reglas. Hasta que alcance un nivel absoluto de limpieza en la casa, deberemos confinar nuestro cachorro a una habitación determinada por la noche y también cuando lo dejemos solo en la casa. Preferiblemente, dicha habitación debe contar con un pavimento de baldosas o un recubrimiento de linóleo que permita ser lavado con facilidad. Atémoslo para que no pueda ir más allá del radio de su cama, pues pocos perros ensuciarán ésta o harán sus deposiciones cerca del lugar donde duermen habitualmente. Si al cachorro todavía se le está habituando a hacer uso de papel o de un cajón dentro de la casa, debemos tener en cuenta que, sea cual fuere el que de estos dos elementos se utilice, debe encontrarse en un punto de fácil alcance.

Procedamos a alimentar al cachorro siguiendo un horario regular y pronto aprenderemos cuál es el intervalo que media entre una comida y sus resultados naturales, lo cual nos permitirá llevarlo al punto en que deberá satisfacer sus necesidades en el momento oportuno.

Se le dará agua sólo después de las comidas, hasta que ya esté habituado a su entorno. Los cachorros destacan por ser unos bebedores inveterados y constantes si tienen fácil acceso al agua, y para ésta no existe ningún otro camino que salir al exterior en el momento oportuno. El resultado será siempre algún charco en los más impensados momentos.

Si nuestro cachorro muestra alguna dificultad extrema de evacuación, un sistema que cabe seguir para acelerar el proceso es valerse de supositorios infantiles. La introducción de éstos en el ano del animal provocará una reacción rápida, al

→
Airedale Terrier sentado junto a su propietario

igual que en el caso de un niño. El cachorro, llevado al punto en que deseamos que evacue, hará su deposición casi de inmediato si ha comido hace poco y se le ha aplicado acto seguido el supositorio.

Enfrentémonos al problema de la habituación con calma, no con temor o aprensión. No demos importancia a los charcos. Si mostramos determinación y actuamos de un modo ordenado, pronto conseguiremos, con un poco de colaboración por parte de nuestro cachorro, un animal habituado a su entorno y una casa limpia de nuevo.

ADIESTRAMIENTO EN EL USO DEL COLLAR Y LA CORREA

Anteriormente nos hemos referido al criador juicioso que colocaba a sus cachorros collares de tipo suave, a los que había atado previamente cortos trozos de cuerda. La mayoría de cachorros, sin embargo, jamás han llevado un collar o se han sentido sujetos a una correa. Adquiramos un collar estrecho y suave (pero de bajo precio) y dejemos que el cachorro lo lleve constantemente para que se acostumbre al mismo. Cabe recomendar a este fin un tipo que sea barato, porque pronto le vendrá pequeño y más adelante querremos algo mejor como ornato de su cuello. Después de que lo haya llevado durante dos o tres días, sujetemos un trozo de cuerda sólida a él, lo suficientemente larga como para que llegue al suelo. Después de arrastrar esta cuerda de un lado para otro y tropezar con ella un par de veces, el cachorro se habrá habituado parcialmente a la correa, en la medida, por lo menos, de que cuando pasemos a una de verdad y comencemos a llevarlo de un lado a otro atado a la misma, no muestre resistencia si actuamos con suavidad.

Jamás debemos tirar de la correa de un perro para llevarlo de un lado para otro, como tampoco debemos ceder la correa a un niño y permitir que éste tire del perro.

Después de que la correa haya sido ajustada al collar, llamemos al cachorro por su nombre para atraer su atención. Tratemos de que acuda y camine a nuestro lado a su aire. Soltemos la correa en su longitud total, luego agachémonos, llamemos al cachorro por su nombre e instémoslo para que venga, diciéndole: «¡Ven!». Si se niega, intensifiquemos la orden

Los adiestradores de perros de caza descargan con frecuencia una escopeta cuando sus cachorros se hallan ocupados comiendo, para que aprendan a no prestar atención a los ruidos intensos, como los producidos por un disparo

mediante ligeros tirones de la correa para que acuda a nuestro lado. Jamás se aplicará un fuerte tirón a la correa en cualquier adiestramiento. Valgámonos, en cambio, de tirones rápidos y breves, y cabe utilizar una sabrosa golosina para premiar su obediencia.

Cuando hayamos conseguido que nuestro cachorro acuda desde el extremo de la correa, pasemos a utilizar una cuerda de tipo ligero que mida de 3 a 6,5 m, fijémosla al collar y repitamos los mismos ejercicios que practicábamos con la correa.

Si nuestro cachorro se encuentra libre y lo llamamos con un: «¡Ven!», y él no presta atención a nuestra orden, no lo persigamos, pues sólo conseguiremos que eche a correr y evite nuestro intento de cogerlo, con lo que perderemos el control sobre nosotros mismos y sobre el cachorro y, con ello, se habrán echado a perder muchas horas de adiestramiento. Mostrémonos tranquilos, atraigamos su atención llamándolo por su nombre y, cuando mire en nuestra dirección, démonos la vuelta y pongámonos a correr *alejándonos* de él, mirando entretanto hacia atrás y llamándolo de nuevo para que acuda.

En la mayoría de los casos, correrá rápidamente detrás de nosotros. No debemos cogerlo cuando nos alcance. En lugar de ello, deberemos agacharnos o sentarnos en el suelo y reírnos y acariciarlo cuando esté a nuestro alcance. Aun cuando requiera mucho tiempo y una considerable exasperación conseguir que acuda a nuestro lado, jamás se le reñirá una vez lo haya hecho, sino que convendrá alabarlo. Si lo reñimos no sabrá que su castigo es por *no haber venido,* sino que asociará el acto del castigo con su acción inmediata y creerá que está siendo castigado por *haber* acudido a nuestro lado.

En las primeras etapas del adiestramiento con correa en el caso de cachorros muy jóvenes, démonos por satisfechos con sólo conseguir que aprenda a moverse con soltura atado a la correa, y sólo enredándose ocasionalmente en nuestras piernas. Cuando avance sin problemas a nuestro lado, comencemos a utilizar la voz de mando «¡avanza!», para que se familiarice con ella. Pero no intentemos conseguir que se mueva en forma rítmica y pausada hasta que sea un poco mayor. En un capítulo posterior expondremos con mayor amplitud la forma de enseñar a caminar de un modo apropiado.

LA COMIDA COMO PARTE DEL ADIESTRAMIENTO

La comida es una parte muy importante en el adiestramiento de nuestro perro. Hemos visto cuán pronto éste lo familiariza con su nombre y le enseña que existe una recompensa que le espera cuando responde a la llamada. La golosina utilizada como recompensa en el adiestramiento es asimismo parte de la alimentación general del cachorro para exigir su obediencia. Adiestrar al perro a aceptar ruidos intensos al objeto de que no muestre temor ante el disparo de una escopeta o el retumbar de un trueno, puede asimismo llevarse a cabo durante el período de alimentación. Los adiestradores de perros de caza comienzan por enseñar a sus discípulos que ignoren los disparos durante los momentos en que están comiendo. Así, los cachorros hambrientos se hallan tan absorbidos por el proceso de engullir la máxima cantidad de alimentos posible en el espacio de tiempo más breve, sobre todo cuando se encuentran junto a otros compañeros de camada, que muestran gran tendencia a olvidarse de todo aquello,

Utilizando la orden de «¡quieto!» con un Wheaten Terrier de pelo suave. Patricia M. Devlin, propietaria

incluido el ruido, que puede distraerles de su propósito principal.

El adiestrador de perros de caza se aprovecha de esta absorción del cachorro mientras come para disparar una escopeta a corta distancia del punto en que el animal se encuentra. Ahora bien, aun cuando el ruido probablemente ni siquiera es observado por los cachorros entregados de lleno a comer, no le pasa desapercibido a su subconsciente. Con ello resulta posible que el adiestrador se vaya acercando gradualmente a los cachorros en cada una de las comidas, hasta llegar a situarse inmediatamente encima de ellos, y puede disparar la escopeta sin que den muestras de alteración alguna. De esta forma se habrán acostumbrado al ruido y sabrán, cuando ya tengan una percepción plena de tal circunstancia, que no encierra nada de lo que deban sentir temor.

Vale realmente la pena adiestrar todos los cachorros de forma que no sientan miedo ante sonidos agudos y ruidos fuertes. No necesitamos valernos de una escopeta para conseguir este propósito: basta, simplemente, con utilizar la tapadera de un cubo grande de metal (como, por ejemplo, el de la basura) y, cuando los cachorros se encuentren totalmente absortos comiendo, dejarla caer al suelo a corta distancia del punto en que se encuentran. Gradualmente, nos acercamos más, hasta que podamos dejar caer la tapadera inmediatamente detrás de ellos sin que el ruido les moleste en lo más mínimo. Si uno o dos de los cachorros dejan de comer y se muestran asustados por el ruido, calmémoslos y reduzcamos la intensidad del ruido hasta comprobar que han desarrollado una tolerancia al mismo. Después, las tormentas, los truenos, los escapes de los automóviles, los disparos de escopetas y otros ruidos de carácter repentino encontrarán a los perros con ánimo firme y sin temor.

Incluso nuestros propios períodos de comida, o sea los que seguimos los humanos, pueden aprovecharse ventajosamente como ayuda para adiestrar al perro. *Jamás* daremos a nuestro perro algo de nuestra mesa mientras estamos comiendo, pues ello lo convertirá en una molestia y pedirá continuamente comida, babeando desagradablemente mientras piensa en alcanzar su deseo.

Elijamos un punto específico para nuestro perro durante nuestras comidas, y hagamos que se eche y permanezca allí sin molestarnos, ni a nosotros ni a cualquier otra persona sen-

Jamás demos a nuestro perro (o cualquier otro animal de compañía) alimento alguno proveniente de nuestra mesa, mientras nosotros estamos comiendo; se les ofrecerá siempre sus propios platos

tada a la mesa. Un rincón del comedor es un lugar adecuado para que permanezca echado y espere a que hayamos terminado.

LOS OBJETIVOS DEL ADIESTRAMIENTO

La base de todo este adiestramiento temprano se halla constituida por el deseo de adaptar el cachorro a nuestro hogar y hacer de él un miembro bien educado de la familia. El principio fundamental, lo mismo si se trata de perros como de niños, es hacer de ellos unos ciudadanos mejores cuando alcancen la madurez, condicionándolos a tal fin con relación a unas pautas de conducta y, a través de su aprendizaje, con la adquisición de unos determinados conocimientos. Con este adiestramiento temprano como base, nuestro cachorro puede pasar a fases

más complicadas y nosotros, como dueños suyos, somos las personas apropiadas para impartirle dicho adiestramiento.

Muchos amos de perros temen emprender cualquier cosa que suene a adiestramiento avanzado. No obstante, si hemos enseñado con éxito a nuestro cachorro los elementos de un adiestramiento preliminar, incluido el cúmulo de detalles propios del amo neófito, o sea la habituación al entorno, entonces mostrar una actitud de aprensión respecto al adiestramiento futuro es algo que resulta ridículo. Ya hemos establecido un control y condicionado a nuestro cachorro para que aprenda y obedezca nuestras órdenes, lo cual supone que la parte más difícil y la principal ya ha terminado. El adiestramiento futuro consistirá, por tanto, en construir sobre la base que ya hemos establecido.

Más adelante, cuando entremos en la fase del adiestramiento avanzado, probablemente querremos unirnos a un grupo entregado a ello, a cuyo fin, posiblemente encontraremos uno en nuestra vecindad o en una zona muy próxima a ella. Trabajar en compañía de otras personas y otros perros resultará estimulante, tanto para nosotros como para nuestro discípulo. Recordemos, sin embargo, que la base de esta formación es exactamente la misma que aprenderemos valiéndonos de este libro, es decir, enseñarnos a adiestrar nuestro perro.

Tranquilos: no demos las órdenes a gritos, pues cabe que nuestro cachorro eventualmente las considere como reprimendas. Utilicemos la voz para articular sonidos que encierren significados para él y, sobre todo, no perdamos jamás el control, pues se nos escaparía el dominio que debemos ejercer sobre nuestro discípulo, dominio que no sólo representa la parte más importante del adiestramiento, sino también el elemento del que deberemos valernos para condicionar nuestro perro en sus pautas de conducta para que se convierta en un ejemplar bien adiestrado, querido y admirado por todos.

←

Perros de muestra alemanes, de pelo corto, aprenden a posar para competición. Herb y Elaine Hollowell, Hidden Hollow Kennels, propietarios

Masticar ayuda a mantener los dientes y las encías del perro en buenas condiciones. Procuremos dar al nuestro algo para masticar que sea seguro, desviando con ello su atención de los objetos que deben considerarse como prohibidos

TODOS LOS PERROS NECESITAN MASTICAR ALGO

Los cachorros y los perros jóvenes necesitan algo resistente para masticar mientras se desarrollan sus dientes y sus mandíbulas. Con ello se coadyuva a la aparición de sus piezas dentarias, a eliminar la primera dentición en el momento oportuno, a asegurar el normal desarrollo de las mandíbulas, y a ayudar a los dientes permanentes a aparecer, crecer y asentarse firmemente en ellas.

El deseo de masticar que muestra el perro adulto tiene su origen en el instinto de limpiar los dientes, dar masaje a las encías y hacer ejercicio con las mandíbulas, aparte la necesidad de valerse de este medio para la liberación periódica de las tensiones caninas.

Por este motivo, los perros, en especial los cachorros y los perros jóvenes, destruyen a menudo artículos que valen mucho dinero cuando su instinto masticador no es desviado de esta acción, en particular durante el período crítico, ampliamente variable, de los perros jóvenes.

Proteger nuestras posesiones de la destrucción, asegurar un desarrollo apropiado de los dientes y de las mandíbulas, facilitar los medios para una limpieza provisional de los dientes y el masaje de las encías, y canalizar las tensiones del perro hacia un ámbito que no sea destructivo, dependen, por tanto, de que el animal cuente, a su fácil alcance, con algo adecuado para roer cuando su instinto le dice que debe hacerlo. Si nuestro propósito, y el de nuestro perro, debe cumplirse, lo que le proporcionemos para masticar debe ser deseable desde su punto de vista, contar con las cualidades funcionales necesarias y, sobre todo, resultar seguro para él.

Es muy importante que a los perros no se les permita roer nada que pueda romperse, y objetos indigeribles de los que puedan arrancar algún trozo. Los fragmentos agudos, tales como los provenientes de huesos que puedan ser rotos por el perro, pueden perforar el intestino y causar la muerte. Los artículos indigeribles aptos para ser fragmentados, tales como juguetes de regenerados de goma o de plástico, pueden provocar una oclusión intestinal, si no son vomitados, y dar lugar a una muerte dolorosa, a menos que se proceda de inmediato a una operación quirúrgica.

Un viejo zapato de cuero es otra de las respuestas populares a esta necesidad, pero hay que asegurarse de que el tacón de goma, todos los clavos y otras partes metálicas, tales como ojales, corchetes, etc., hayan sido eliminados. Téngase especial cuidado con la eliminación de los clavos. Un trozo de tacón de goma puede provocar una oclusión intestinal, pero si en él se encuentra además un clavo, ello puede causar que la pared intestinal resulte perforada o desgarrada. Existe también el riesgo de que el perro no llegue a distinguir entre su zapato y alguno de los nuestros, y roer un buen par mientras se halla fuera de nuestro campo visual.

En el mercado se encuentran artículos de piel seca y sin curtir de diversos tipos, formas y precios, que se han hecho

←

Uno de los ejercicios de que están compuestas las pruebas de obediencia

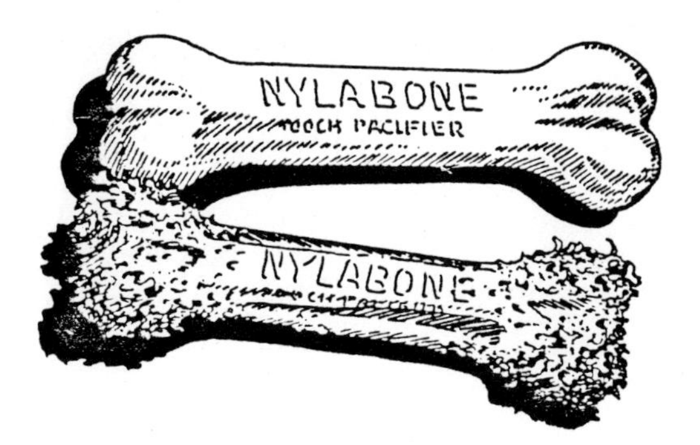

Los Nylabones resultan especialmente recomendables como ayuda en la masticación, dado que son seguros (no se astillan ni se desmenuzan) y económicos

muy populares. Sin embargo, no responden muy bien a las funciones masticadoras primarias, pues son más bien repelentes cuando han quedado empapados de saliva y son muchos los perros que los destruyen con bastante rapidez, pero han

Impidamos que nuestros cachorros mastiquen artículos de tipo blando (vestidos y telas viejas, por ejemplo), pues se exponen a tragar hilachas o pequeños trozos de tejido

sido considerados como muy seguros hasta fecha muy reciente. En la actualidad, se aprecia que son cada vez más numerosos los accidentes mortales o casi mortales causados por asfixia, y ello se atribuye a trozos parcialmente engullidos de piel seca que después se han hinchado en la garganta. También cabe destacar que algunos veterinarios han atribuido últimamente ciertos casos de estreñimiento agudo a grandes trozos de piel seca, digeridos en forma incompleta, en el intestino.

VENTAJAS DE LOS HUESOS DE NILON

Los huesos de nilón, especialmente los que llevan incorporados carne natural y pequeños fragmentos de hueso, son probablemente la solución más completa, segura y económica a la necesidad de masticar. Los perros no pueden romperlos o arrancarles trozos apreciables; de ahí que sean completamente seguros y, al ser mucho más duraderos que cualquier otro artículo ofrecido con el mismo fin, también resultan económicos.

La masticación enérgica levanta pequeñas proyecciones en la superficie de los huesos de nilón, las cuales proporcionan una limpieza efectiva de los dientes y un masaje vigoroso de las encías, tal como el cepillo de dientes actúa en nuestra boca. Las pequeñas proyecciones son arrancadas y engullidas en forma de pequeñas virutas, pero la composición química del nilón es tal que se disuelve en contacto con los jugos gástricos y pasa a través del cuerpo sin ejercer efecto alguno.

La dureza del nilón proporciona la fuerte resistencia a la masticación necesaria para el importante ejercicio de las mandíbulas y la ayuda efectiva para las funciones dentarias, pero, pese a ello, no se produce desgaste de los dientes debido a que el nilón no es abrasivo. Asimismo, al ser un material inerte, el nilón no puede servir de base de cultivo de microorganismos y cabe lavarlo con agua y jabón, o esterilizarlo a través de la ebullición o en autoclave.

El Nylabone es altamente recomendado por los veterinarios como hueso de nilón seguro y sano, que no puede astillarse o romperse. En lugar de ello, el Nylabone se vuelve rugoso por la acción masticadora del perro, originando con ello una

→ Chesapeake Bay Retriever

superficie parecida a la de un cepillo de dientes que limpia éstos y da masaje a las encías. El Nylabone y el Nylaball, los únicos productos para masticar fabricados con nilón macizo y aromatizado, se encuentran disponibles en las tiendas de artículos para animales domésticos.

Nada, sin embargo, puede sustituir la atención profesional periódica a los dientes y encías del perro, como tampoco puede hacerlo por nosotros nuestro cepillo de dientes. Hagamos limpiar los dientes de nuestro perro por nuestro veterinario por lo menos una vez al año, aun cuando dos es mejor, y él se sentirá más sano y feliz, y será mucho más agradable de vivir con él.

3

Ardides en el adiestramiento

Generalmente, llega un momento en el adiestramiento de nuestro joven cachorro, o incluso del perro ya un poco más crecido, en que cabe utilizar un método que prácticamente proyecta el animal hacia la forma de conducta deseada. Este tipo de adiestramiento se denomina enfoque *negativo* y resulta exactamente opuesto al de tipo *positivo* más ampliamente utilizado en general. Es, en su sentido más verdadero, una forma de actuación astuta que, al estar disociada del adiestramiento **positivo**, también queda divorciada del control básico que tan necesario es en todo adiestramiento directo.

Estos ardides se emplean cuando los métodos positivos han fracasado y consideramos que cualquier castigo drástico por el fracaso experimentado por el discípulo podría dañar más que ayudar a nuestro programa de adiestramiento. La idea básica existente en este tipo de adiestramiento es conseguir que el perro piense que se está castigando a sí mismo, de modo que el resultado de su desobediencia se convierta en una experiencia inolvidable. En el pensamiento del cachorro se forja la idea de que su amo o adiestrador no ha tenido vinculación alguna con la catástrofe sufrida.

ROBAR COMIDA DE LA MESA

Esta es una acción cuya tentación muchos cachorros no pueden resistir. Su vigoroso ritmo de crecimiento los lleva casi constantemente a tener hambre, y la comida que sus amos tienen sobre la mesa constituye un reclamo que les resulta impo-

Los cachorros se dan cuenta, por el tono áspero de nuestra voz, de que estamos disgustados por su mal comportamiento

sible resistir, sobre todo en el caso de perros que han venido recibiendo pequeños bocados, provenientes de la mesa, de manos de algún miembro de la familia, lo cual constituye una de las maneras más fáciles de malcriar un perro. La mayoría de cachorros que han sido reprendidos severamente por robar comida de la mesa son lo suficientemente inteligentes como para no intentar cometer su delito hasta que sus amos se encuentran fuera de la habitación y con ello desaparece el peligro. Entonces, con rapidez y silenciosamente, se levantan hasta llegar a nivel de la superficie de la mesa y se esfuerzan en alcanzar y engullir cualquier alimento al que puedan llegar, especialmente carne.

Cabe utilizar huesos de nilón para recompensar la buena conducta. Norwich Terrier, Mrs. Johan Ostrow, propietaria

Si nuestro cachorro, o perro, se ha convertido en un ladrón inveterado y ninguna reprimenda consigue hacerlo desistir de sus vergonzantes robos cuando surge la oportunidad, deberemos valernos del sistema negativo para corregir esta mala conducta. Ordenemos la mesa como siempre, cuando intenta robar algo en ella. Elijamos después un trozo de carne, atémosle un cordel y al otro extremo de éste algunas latas vacías, campanillas o cualquier otra cosa que haga mucho ruido al moverla. Coloquemos después el trozo de carne justo en el borde de la mesa. No permitamos que el perro nos observe mientras le preparamos esta sorpresa, pues en modo alguno hemos de quedar implicados en lo que va a ocurrir.

Cuando todo esté preparado, abandonemos la habitación al igual que hemos hecho en ocasiones anteriores, en las que el perro ha tomado algo de la mesa durante nuestra ausencia. Cuando nos encontremos fuera de la habitación y el perro se aproxime sigilosamente a la mesa y coja la carne, tirará sin darse cuenta de todos los objetos ruidosos que se hallan sujetos al otro extremo del cordel y los hará caer al suelo, y, si intenta huir de ese estrépito espantoso, éste lo seguirá mientras no suelte el trozo de carne robado que lleva en la boca. El sobresalto que esto le producirá es aproximadamente igual al que experimentaría un ladrón que sigilosamente se introdujese en una casa y, al abrir un cajón, se viese asaltado por el ensordecedor estruendo de una banda de instrumentos de viento y percusión interpretando una marcha militar.

Un silencio profundo constituye el escudo protector del ladrón y, tan pronto como este silencio se rompe, el ladrón se encuentra desnudo y expuesto. El cachorro que roba sigilosamente se siente igual ante el estrépito que ha provocado, que retumba en sus oídos y lo señala como el culpable.

ENCARAMARSE SOBRE LOS MUEBLES

El mismo método se utiliza para el cachorro que persiste, pese a todos los castigos, a encaramarse sobre los muebles y dormir sobre los de la sala de estar. Después de un castigo repetido, generalmente sólo lo hará cuando estemos fuera de la habitación, o de la casa, y abandonará el lugar tan pronto como nos oiga regresar. Restos de pelo en los cojines del sofá o del sillón son el único indicio de su desobediencia. Para acabar

Nuestro perro debe aprender a no subirse a los muebles, si esto es lo que deseamos evitar

con este hábito, deberemos, una vez más, valernos del enfoque negativo y recurrir a alguna estratagema para hacerle pensar que se castiga a sí mismo y que nosotros no hemos tenido nada que ver con ello.

Adquiramos varias ratoneras de pequeña dimensión, montémoslas y dejémoslas repartidas por encima del sofá o de la silla que parezcan ser los muebles preferidos del cachorro. Después, cubramos las ratoneras, cuidadosamente con papel de envolver u hojas de periódico. Dejemos la habitación y espe-

Algunos amos de perros los adiestran para que se acomoden en un mueble determinado, y los desalientan para que lo hagan en otros

remos el resultado. Debemos repetir aquí la advertencia de que conviene colocar las ratoneras en secreto, de modo que la víctima ignore por completo que hemos tenido alguna participación en su eventual sorpresa.

Si nos encontramos cerca cuando el cachorro se encarama y acomoda sigilosamente en el sofá, oiremos cómo se disparan las ratoneras ocultas y el angustiado aullido del animal,

English Cocker Spaniel, Muriel Clement, Gordon Hill Kennels, propietario

seguido de su inmediata huida del lugar. El perro no sufrirá daño alguno; sólo se quedará sorprendido y completamente desconcertado por el disparo de las ratoneras y el movimiento que acompaña a este fenómeno bajo el papel protector.

Si nuestro perro es un ocupante no deseado de nuestra cama cuando no miramos, y reñirlo no surte efecto alguno, cabe utilizar el mismo método para conseguir idéntico resultado. Por supuesto, una forma de evitar las dificultades de este tipo es mantener al perro confinado en un sector dado cuando salimos de casa, no estamos en la habitación o tenemos algo que hacer en otro punto. Este sector no ha de permitirle estar cerca de un dormitorio o una sala de estar y, con ello, la tentación desaparece. Pero, a nuestro modo de ver, es mejor permitir que el perro, dando por sentado que ya se halla totalmente adaptado al medio circundante, recorra toda la casa y hacer frente y corregir cualquier problema de adiestramiento que surja como consecuencia de esta libertad.

SALTAR SOBRE LAS PERSONAS

Los perros de temperamento bullicioso muestran una tendencia a saltar constantemente sobre sus amos, los miembros de la familia y todos los amigos de éstos. Con ello ponen de manifiesto su alegría de vivir y el aprecio que sienten por nosotros. Pero esta alegría en el saludo puede ser causa de que perdamos numerosos y estimados amigos cuando nuestro perro, con las patas llenas de barro, salta sobre algún visitante que lleva un vestido o un traje nuevo. Esa conducta puede incluso exasperarnos a nosotros, propietarios amorosos del animal.

Para acabar con esta costumbre, cabe emplear métodos positivos de adiestramiento que se explicarán más adelante. Ahora nos referiremos a otra estratagema que cabe utilizar si la orden de «¡no!», por sí sola, no consigue acabar con esta costumbre. Cuando el perro salta, se le agarra por las patas delanteras y sin soltarlo, mientras le hablamos en tono cariñoso y tolerante. De este modo, el cachorro se encuentra en una posición incómoda al apoyarse solamente sobre sus patas traseras, una posición que no resulta muy adecuada o natural para un miembro de la especie canina. Pronto se cansará de estar de pie, de modo que comenzará a tirar y retorcerse para liberarse de nuestras manos y volver a una posición normal, con sus cuatro patas apoyadas en el suelo. Sigamos, no obstante, manteniendo sus patas asidas, pese a este esfuerzo cada vez mayor, hasta que se haya cansado del todo de su posición y de toda la situación. Con muy pocas de estas lecciones, se abstendrá de repetir su impulso y un acto que tantas molestias lleva aparejadas.

Si el perro es de tamaño grande, podemos hacerle todavía más incómoda la posición si avanzamos el pie y pisamos su pata trasera mientras retenemos en nuestras manos las delanteras. No hay que pisar demasiado fuerte. Nuestro propósito es provocar una sensación de incomodidad al animal, no romperle o dañarle las patas.

Probablemente, se nos ocurrirán otras pequeñas estratagemas que podremos improvisar para corregir a nuestro perro en algunos puntos de su conducta. Recordemos, sin embargo, que estas estratagemas sólo constituyen atajos para rectificar hábitos molestos en la conducta y no contribuyen en nada a establecer el control y la *relación* que debe existir entre el entrenador y el perro en el importante ámbito del adiestramiento positivo.

MAS ESTRATAGEMAS EN EL ADIESTRAMIENTO

Hemos tenido ocasión de ver cómo algunos adiestradores se valen de un extraño sistema de castigo que parece haber resultado efectivo con algunos cachorros. Se utiliza, a tal fin, un trozo de papel enrollado, preferiblemente de embalaje y no de periódico. Cuando el cachorro roe un objeto prohibido, por ejemplo el zapato de su amo, el adiestrador, con el cachorro junto a él para que no se pierda detalle de lo que ocurre, utiliza el papel enrollado para golpear y castigar al *zapato*, no al cachorro. Algunos reaccionan no tocando nunca más el objeto castigado o cualquier otro de carácter similar, pero también hemos tenido ocasión de ver cómo ocurre lo contrario y el resultado ha sido que los cachorros atacan e intentan ayudar a su amo en el castigo del objeto perverso y desobediente.

Resulta esencial que los cachorros, así como los perros ya crecidos, dispongan de libertad y se les permita correr sin ir

→

El labrador retriever trabajando en una laguna. Pamela C. Kelsey, Driftwood Kennels, propietaria

atados a la correa, pues muchos de ellos se portan como idiotas cuando se les deja libres. Algunas veces, tales animales, al quedar liberados, corren hasta tan lejos y con tanta rapidez que muy pronto se pierden de vista y parecen sordos ante las frenéticas llamadas de sus propietarios. Una forma de curar esta costumbre es, por supuesto, concederles más libertad, pero existe otra manera de condicionar nuestro perro y lograr que permanezca cerca cuando anda o corre sin correa. Esto es también una estratagema, pero una estratagema que es tan divertida para nosotros como para nuestro perro. Simplemente, basta con esconderse cuando comienza a alejarse demasiado y después darle un silbido o llamarle para que regrese. Al mirar hacia atrás no nos verá y comenzará a buscar hasta que nos encuentre. Si parece que no puede encontrarnos, descubramos nuestra posición mediante algún movimiento o ligero ruido. Es un juego que le gustará y que ofrece la ventaja de que, mientras lo practica, aprenderá a mirar constantemente hacia atrás para asegurarse de que seguimos visibles y de que siempre permanecerá lo bastante cerca como para poder regresar inmediatamente y gozar de nuestro juego del escondite.

Los psicólogos caninos se han valido, desde hace mucho tiempo, de los métodos negativos de condicionamiento de los reflejos animales para conseguir unos resultados específicos de adiestramiento. El experimento ideado por Pavlov, con la campanilla y la comida, es muy conocido al respecto. En este experimento, el mero sonido de la campanilla provocará una segregación de saliva en la boca del perro, aun cuando no aparezca comida alguna.

Valerse de pequeños sonidos metálicos es otro enfoque que los psicólogos han venido utilizando en las pautas de condicionamiento de la conducta de los perros. Cuando el perro se entrega en forma natural a una acción específica, tal como dirigirse a un rincón de la habitación, el psicólogo hace sonar el pequeño instrumento de metal y con ello pronto habrá condicionado al animal para que se dirija hacia dicho rincón específico, cada vez que oiga el mismo ruido.

Hemos utilizado personalmente este tipo de condicionamiento en el adiestramiento y podemos asegurar que requiere un grado muy alto de concentración, una absorción completa en la labor desarrollada y un margen considerable de tiempo dedicado sin interrupción al discípulo. Enseñé a una perra de nueve meses a sentarse y echarse permaneciendo con ella cons-

La orden de «¡siéntate!» es parte del adiestramiento básico del perro

tantemente durante tres días. Cada vez que quería sentarse le daba la orden de «¡siéntate!», y cada vez que quería echarse en forma natural le decía: «¡échate!». No la toqué ni una sola vez, ni la obligamos a obedecer estas órdenes, simplemente, permanecí a su lado constantemente, como observador totalmente abstraído en esta labor, y cada vez que efectuaba, por su propia voluntad, cualquiera de las acciones deseadas le daba la orden adecuada mientras las ejecutaba. Pronto quedó condicionada en el sentido de obedecer estas órdenes inmediatamente, sin haber sido obligada a adoptar las posiciones adecuadas a través de un adiestramiento positivo. Admito que se trató de una labor cansada y a la que tuve que dedicar mucho tiempo, pero no obstante demostró, para mi satisfacción, que cabía efectuarla con resultados gratificantes.

Recordemos que al valernos de estas estratagemas para condicionar a nuestro perro para que actúe tal como deseamos, no estamos de hecho adiestrándolo, sino simplemente induciéndolo a que lleve a cabo determinados actos que vendrán a moldear su conducta, y que este método de adiestramiento negativo resulta limitado en cuanto a su alcance. Podríamos seguir explicando el uso de otros medios similares de adiestramiento, tales como los empleados por los cazadores, en los que se utilizan una recompensa en carne y un castigo mediante descargas eléctricas como adiestramiento negativo. A este fin cabe construir dispositivos eléctricos que se ajustan al collar del perro y que se utilizarán para conmocionarlo levemente cuando se muestre desobediente en el adiestramiento. También se utilizan, por parte de algunos adiestradores, aguijones eléctricos parecidos a los que emplean los ganaderos. Personalmente, me siento contrario a todo método de adiestramiento, negativo o positivo, que se base en un castigo cruel. Asustar o causar daño no es necesario en el adiestramiento básico; de hecho, tales métodos son propios de mentes sádicas o de seres insensibles que nunca debieran poseer un perro.

Quien tenga un perro al que no pueda controlar o adiestrar, no debe pegarle o usar métodos crueles en su esfuerzo para adiestrarlo. Lo que procede es llevarlo a un adiestrador calificado, explicarle el problema y dejar que sea él quien lo adiestre por nosotros, pues es labor de tales expertos ocuparse de perros problemáticos o adiestrar a algunos para llevar a cabo trabajos especializados.

ADIESTRAMIENTO PARA VIAJAR EN AUTOMOVIL

Adiestrar a nuestro cachorro para que viaje con la debida compostura en el coche familiar es, simplemente, una cuestión de repetición. Hagamos los primeros recorridos muy breves, aumentando progresivamente la distancia a medida que él se vaya acostumbrando, sin sufrir molestias, al movimiento del coche. Asegurémonos siempre de que entra en el coche, para esta clase de lecciones, con el estómago vacío. A los perros les

A través de la práctica, el perro puede aprender a acompañarnos en nuestros viajes en automóvil. Procúrese, sin embargo, que tenga el estómago vacío, para evitar que se maree

gusta acompañar a sus amos, o a cualquier miembro de la familia, cuando se disponen a viajar en coche.

Por supuesto, existe otra clase de adiestramiento respecto a los automóviles, y el mismo consiste en conseguir que abandone la costumbre de correr tras de ellos si es que ha adquirido este desagradable hábito. A tal fin, atemos a su collar una cuerda resistente de la que se habrá suspendido, en posición horizontal un trozo de mango de escoba lo suficientemente cerca del suelo como para que rebote fuertemente contra sus patas si echa a correr. Este es un método de adiestramiento negativo. Si el «¡no!» o el «¡feo!», o el trozo de mango de escoba, no lo detienen en su tendencia a seguir con su costumbre, entonces deberá recurrirse a un método más duro, que deberá aplicarse con la ayuda de alguien al volante de un coche al que se supone perseguirá el perro. Al conductor se le deberá proporcionar una pistola de agua debidamente cargada y, mientras el coche se halla en movimiento y el perro corre tras él, deberá rociar el rostro del animal. Si este método sigue sin dar resultado alguno, deberá emplearse una débil solución de amoníaco en la pistola, en lugar de agua pura. Esto quizá parezca un medio algo drástico para combatir la conducta descrita, pero conviene recordar que el resultado final de la persecución de automóviles es, o bien la muerte del perro bajo las ruedas de algún vehículo rápido, o el accidente de éste con personas heridas, e incluso la posible pérdida de vidas humanas como consecuencia directa.

4

Comienza el adiestramiento en serio

Lo que hemos aprendido acerca del adiestramiento hasta el momento en este libro constituye una labor preliminar para el joven cachorro, con excepción de unas pocas lecciones, tales como la relativa a persecución de automóviles, etc. Entre las edades de dos y seis meses, el cachorro debe haber absorbido todas las enseñanzas precedentes. Nos acercamos ahora al momento de iniciar el adiestramiento en serio.

LA FIJACION DE UN PROGRAMA

Si resulta posible, es mejor comenzar impartiendo dos sesiones de adiestramiento, de diez minutos cada una, al día. Si sólo disponemos de tiempo para una única sesión de adiestramiento, limitemos el tiempo a no más de media hora. Observemos, no obstante, a nuestro perro durante el período de adiestramiento, para estar en condiciones de decir cuándo comienza a aburrirse, y éste es el momento de detenerse. De todos modos, a medida que nosotros y nuestro alumno avancemos en nuestra formación, cabrá extender el límite de tiempo.

Extremo importante a recordar es que las órdenes que vamos a dar a nuestro perro son las más importantes con relación a su transformación en un compañero agradable y bien educado. Las lecciones que aprenderá son: sentarse, seguirnos a nuestro lado, echarse, levantarse al ser llamado y permanecer quieto cuando se le ordene en posición de sentado, echado o de pie. También aprenderá algunas otras órdenes, si deseamos enseñárselas, pero las citadas son las de carácter básico en la formación.

Alabemos a nuestro perro con un «¡buen chico!» o «¡buena chica!», siempre que adopte con rapidez la posición correcta al recibir la orden de «¡siéntate!»

Antes de comenzar, asegurémonos de encontrarnos en un lugar en el que no se desarrollará ninguna actividad que pueda distraer al perro y apartarlo de su concentración en el trabajo. Revisemos en nuestra mente todo lo que hemos aprendido hasta ahora acerca del control y todos los demás elementos de adiestramiento, con relación a nosotros y al perro. Verifiquemos nuestro equipo y asegurémonos de que el collar de cadena

→

Chesapeake Bay Retriever nadando satisfecho

se halla debidamente ajustado (para que haga presión desde arriba, y no desde abajo del cuello de nuestro perro) y que la correa se halla firmemente sujeta en la mano derecha. Utilizaremos también la mano izquierda para la correa, pero la parte principal de ésta debe hallarse sujeta por la mano derecha. Recordemos siempre que debemos actuar sobre el perro desde nuestra izquierda. Y no permitamos que nuestro alumno considere todo esto como un juego. Debe enseñársele a comprender que estos períodos de adiestramiento son importantes y constituyen un trabajo, y que después de ellos se le permitirá jugar a su placer.

EL ADIESTRAMIENTO PARA LA ORDEN DE «¡SIENTATE!»

Es probable que ya hayamos impartido alguna lección al cachorro en este punto, pero ahora deberemos enseñarle a sentarse de inmediato cuando reciba la orden, y a hacerlo atado a la correa y a nuestro lado.

Hagamos mover el perro a nuestra izquierda sosteniendo la correa con la mano derecha, para permitir que nuestra izquierda se halle libre y nos permita disponer de unos 30 cm de margen desde el cuello del perro hasta la mano derecha. Atraigamos rápidamente la atención del perro pronunciando su nombre, seguido inmediatamente de la orden de «¡siéntate!». Pronunciemos la orden con voz firme y clara. Al mismo tiempo, tiremos hacia arriba de la correa hasta que el collar comience a apretar y, con la mano izquierda, hagamos presión sobre su grupa con los dedos orientados hacia la cola. Presionemos entonces suavemente hacia abajo, con la mano izquierda, para obligar a sus cuartos traseros a doblegarse y descender hasta adoptar la posición de sentado. Mientras hacemos esto, procuremos mantener la correa sujeta por la mano derecha y debidamente tensada de modo que sostengamos su cabeza y su parte frontal en posición erguida.

Cuando nuestro alumno se encuentre en la posición correcta, alabémoslo con una expresión tal como «¡buen chico!» o «¡buena chica!», según sea el caso. Incidentalmente, a lo largo de este libro se ha supuesto que el alumno es masculino, pero podemos asegurar que nada tenemos en contra del género femenino, ya sea animal, mineral, vegetal o lo que fuere. Al

Este perro ha aprendido diversas órdenes de obediencia

contrario, bajo muchas circunstancias más bien nos inclinamos por el sexo femenino. En este caso, sin embargo, consideramos que resulta más fácil valernos del género masculino cuando nos referimos al alumno.

Cuando hayamos conseguido que nuestro alumno permanezca sentado tranquilamente a nuestro lado, relajemos la tensión de la correa mientras expresamos nuestra alabanza, pero procuremos que siga sentado. Para conseguirlo, debemos mostrarnos comedidos y sin exagerar nuestras alabanzas. Después, con un tirón rápido y suave de la correa, daremos un paso hacia adelante para conseguir que el perro se levante y permanezca de pie junto a nosotros. Repitamos la lección de nuevo, procurando no tensar la correa con excesiva brusquedad cuando empujamos los cuartos traseros del perro hacia abajo. Levantémonos y mantengamos el perro sentado durante unos pocos segundos a nuestro lado, antes de dar un paso hacia adelante para repetir toda la operación de nuevo.

Si el perro se levanta por propia iniciativa, entonces no resulta necesario dar un paso hacia adelante antes de repetir la orden, pero no debemos permitirle que se levante inmediatamente. Cuando apreciemos que la grupa del perro comienza a ceder bajo la presión de nuestra mano y damos la orden de «¡siéntate!», apliquemos una presión menor para conseguir que se siente, hasta que el mero contacto de un dedo sobre su grupa se traduzca en el resultado deseado. Pronto, a partir de este momento, no deberemos tocarlo en absoluto y bastará con darle la orden para que se siente tranquilamente a nuestro lado.

Si el perro no mantiene la posición de sentado durante más de un segundo o dos antes de levantarse, riñámosle con la expresión «¡no!», y hagamos que vuelva a su posición de nuevo. Si se echa cuando se le ordena que se siente, no intentemos hacerle levantar tirando de la correa; levantémosle desde la parte frontal hasta que se encuentre en posición *sentado*. Corrijamos su posición, colocando la mano en su grupa, ya sea a la derecha o a la izquierda cuando hacemos presión hacia abajo, pues cualquiera de los dos flancos corregirá su postura si se sienta mal.

La posición *sentado* es el más fácil de todos los ejercicios, y por este motivo recomendamos que se imparta primero.

Ahora bien, tratándose de la primera lección, debe aprenderse a la perfección. Por consiguiente, no aceptemos nada que esté por debajo de dicha perfección para nuestro alumno. No toleremos ningún grado de chapucería. Nuestro perro ha de sentarse de un modo rápido y correcto, a nuestro lado, cuando demos la orden de «¡siéntate!». Aun cuando al principio resulta permisible utilizar la orden varias veces, al mismo tiempo que presionaremos su grupa para conseguir que obedezca, después de que haya aprendido qué es lo que nosotros queremos de él, será suficiente, citando primero su nombre, dar la orden una sola vez, por ejemplo: «Jerry, ¡siéntate!».

Esta primera lección, para aprender a sentarse correctamente, fijará la pauta para toda la enseñanza que seguirá a continuación. Con ello, tanto nosotros como nuestro perro aprendremos muchas cosas antes de que pasemos a la lección siguiente, y a nosotros nos corresponderá que el perro aprenda a ser un perfeccionista en la ejecución de esta sencilla orden.

→

Los Labrador Retrievers son buenos compañeros de caza

En una sección precedente se hizo mención de cómo conseguimos que una perra obedeciera la orden de «siéntate» y de «échate» dando la voz adecuada cada vez que, por propia iniciativa, comenzaba a sentarse o a echarse. Este condicionamiento negativo cabe utilizarlo cuando el cachorro es muy joven, pero no resulta recomendable valerse de él en el adiestramiento directo y positivo al que ahora hemos dado comienzo. Llevábamos a cabo un experimento con una perra algo vieja cuando utilizamos este tipo de enfoque, un experimento bastante aburrido cabe añadir, y algo que no procede utilizar después de que se haya dado comienzo con éxito a una enseñanza basada en un condicionamiento positivo.

La importancia de la orden de «¡siéntate!» y su ejecución exacta aparecerá como algo obvio más adelante. En el adiestramiento futuro veremos que la mayor parte de las nuevas lecciones comenzarán a partir de la posición de sentado.

5

Adiestramiento para la acción de avanzar

La posición «sentado» ha enseñado a nuestro perro a permanecer bien sentado a nuestro lado, y a partir de ahí se halla preparado para comenzar a aprender cómo «avanzar». No necesita haber alcanzado la perfección en «sentado» antes de que demos comienzo a esta nueva lección. De hecho, después de que el alumno actúe bastante bien al obedecer la orden de «siéntate», y de que percibamos que se está poniendo algo intranquilo y nervioso, habrá llegado el momento de pasar a la nueva lección de «avance».

Permanezcamos de pie con el perro en una buena posición de sentado a nuestro lado. La correa debe hallarse recogida en nuestra mano derecha y con la mano izquierda sujetándola de forma que cuelgue del collar en una longitud de unos 60 cm. Nuestra pierna izquierda debe encontrarse cerca del hombro del perro, incluso tocándolo si es posible. En este punto nos moveremos vivamente hacia adelante, utilizando primero el pie izquierdo y con un paso decidido y largo. Al hacer esto, damos un rápido tirón a la correa con nuestra mano izquierda y damos la orden de, por ejemplo, «¡Pipo, avanza!». Pronunciemos su nombre una fracción de segundo antes de que nos movamos hacia adelante para atraer su atención de inmediato, y prosigamos con la orden y el tirón de la correa. Su nombre lo prepara para entrar en acción, y nuestro movimiento hacia adelante y el tirón de la correa con la acción con la que aparejará la orden.

Repitamos la orden «¡avanza!» (ahora sin pronunciar el nombre del animal) cada unos pocos pasos, una vez hayamos conseguido que se ponga en movimiento. Al principio, es muy probable que avance demasiado, o se retrase, o se desvíe hacia un lado. Sea lo que fuere lo que haga, ello puede ser controlado a través de breves tirones de la correa con la mano izquierda, una vez él se haya puesto en movimiento. Asegurémonos en todo momento de que se cuenta con cierto margen de correa, pues si no es así no podremos dar tirones para que el collar de cadena apriete rápidamente y se afloje de nuevo, lo cual constituye la medida de nuestro control sobre el alumno.

Una vez hayamos conseguido que el perro se mueva bastante bien en su avance en línea recta, cambiemos bruscamente de dirección hacia la derecha, advirtiendo al animal con un tirón de la correa y la orden de «¡avanza!». Caminemos hacia adelante en línea recta por espacio de cuarenta o cincuenta pasos, o hasta llegar a un punto dado, y repitamos el cambio hacia la derecha utilizando los mismos medios de transmisión de nuestros deseos al alumno, como ya hicimos anteriormente. Después de que hayamos completado así un cuadrado, demos una vuelta completa a la derecha, impartiendo la orden de «¡avanza!» complementada con un tirón de la correa, o varios tirones, si es necesario, para conseguir que se mueva.

Sigamos con unas cuantas vueltas más a la derecha, con la orden apropiada y los tirones de la correa, y luego detengámonos y ordenemos a nuestro alumno que se siente. Si parece confuso y no se sienta inmediatamente, alarguemos la mano izquierda y ejerzamos una ligera presión sobre su grupa para recordarle qué es lo que debe hacer.

Combinemos estas dos órdenes —«¡avanza!» y «¡siéntate!»— hasta conseguir que el perro adopte automáticamente la posición de sentado a nuestro lado cuando nos detengamos. En otras palabras, se sentará sin recibir orden alguna cuando él avance y nosotros nos detengamos por completo.

Una vez haya asimilado la acción de avanzar y camine con soltura a nuestro lado, cerca de nuestra rodilla, no hay necesidad de seguir repitiendo la orden de «¡avanza!» a menos que vayamos a cambiar de dirección. En este caso, dado que ya no necesita los pequeños tirones en la correa como indicadores para que se mantenga en movimiento, nuestra mano izquierda quedará libre para darle una señal visual, así como oral, que le sirva de orden para avanzar. Esto se consigue dando suaves palmadas sobre el lateral de nuestro muslo, al mismo tiempo que efectuamos la señal de «¡avanza!». Muy pronto el perro

Este perro de caza se ha sometido a los rigores de un adiestramiento en pruebas de obediencia, al objeto de que en la caza sea el compañero perfecto

aprenderá a esperar que le demos la señal visual de «¡avanza!» y ya no resultará necesario que añadamos a ello una orden oral. En los cambios de dirección, la palmada de nuestra mano contra nuestra pierna atraerá su atención, al igual que anteriormente ocurría con la orden oral de «¡avanza!».

LA SEÑAL DE «¡PARA!»

Cuando adiestramos al perro para que avance, es obvio que necesariamente llegaremos a tener que detenernos. Para evitar que nuestro animal prosiga con su movimiento hacia adelante cuando nosotros nos detenemos, deberemos valernos de la señal de «¡para!». Un paso o dos antes de que vayamos a detenernos y pronunciemos la orden de «¡para!», tensemos la correa para preparar nuestro alumno respecto a lo que va a llegar. Pronto aprenderá que esta tension de la correa constituye una señal y, por tanto, se mostrará atento a la orden de «¡para!». Si sigue andando después de que nos hayamos detenido, no lo hagamos retroceder con un prolongado y fuerte tirón de la correa. Utilicemos, por el contrario, los tirones breves, darnos palmadas en el muslo y decirle: «¡a mi lado!». Prosigamos con el ejercicio hasta que identifique la orden de «¡para!» y reaccione fielmente a ella.

Durante las lecciones de avance no tiene mucha importancia lo que nuestro perro haga, salvo echarse al suelo o sobre la espalda y, por ello, debemos seguir caminando con aire decidido. Si se aparta demasiado en los cambios de dirección, atraigámoslo de nuevo mediante breves tirones de la correa, pero no detengamos nuestro firme paso hacia adelante. Cuando se mantiene junto a nosotros en los cambios de dirección, recompensémoslo con un «¡buen chico!», pero no aminoremos la marcha ni abandonemos nuestro paso regular. Por supuesto, nuestra marcha ha de ajustarse al tamaño de nuestro alumno. Una marcha viva para un pastor alemán o un labrador situaría a un pequinés o un boston en una posición cuyo ritmo sería imposible de mantener. Algunas razas son capaces de moverse con mayor rapidez que otras; por tanto, deberemos ajustar nuestro ritmo a la raza representada por nuestro alumno.

Hagamos practicar a nuestro perro los ejercicios de «¡siéntate!» y «¡avanza!» por lo menos a lo largo de tres sesiones o tres días, si su adiestramiento se halla programado a razón de una sesión diaria.

Cuando comenzamos a enseñar a nuestro perro a torcer hacia la izquierda mientras avanza, cambiemos hacia dicho sentido con la pierna izquierda, que es la más próxima al animal. Esto casi automáticamente da lugar a que éste se oriente hacia la izquierda. Tratándose de perros pequeños, podemos adelantarnos y hacer que giren hacia el lado elegido mediante tirones de la correa. Mezclemos los cambios de dirección durante las lecciones, al objeto de mantener atento a nuestro alumno y condicionarlo para que siempre se muestre alertado mientras avanza, y no falle ni un solo cambio de dirección.

A menudo, después de que el perro haya aprendido a avanzar de un modo apropiado, comenzará a moverse algo adelantado respecto a nosotros y a cambiar de dirección en forma incorrecta. A los perros pequeños cabe corregirlos, generalmente, mediante tirones de la correa para hacerlos retroceder hasta la posición apropiada. Esto, algunas veces, también

Después de aprender a sentarse y a caminar junto a nosotros, el perro puede ser adiestrado para aprender a sentarse y permanecer inmóvil

resulta efectivo con perros de mayor tamaño, pero, si no fuera así, deberemos probar otro sistema para impedir que se adelante demasiado mientras avanza. Dejemos suelto el margen de correa que hasta ahora hemos mantenido recogido en nuestra mano. La larga correa de adiestramiento ha de permitir que entre 90 y 120 cm de margen, con un bucle o lazo al final, pendan de nuestra mano derecha. Comencemos entonces a hacer girar este margen formando un círculo frente a nosotros, mientras movemos al perro hacia adelante para llevarlo a la posición de avance. Tan pronto como comience a situarse demasiado lejos, frente a nosotros, el extremo giratorio de la correa golpeará su hocico y retrocederá. Sigamos con este proceder hasta que el perro se mantenga en posición adecuada a nuestro lado mientras avanza.

Esta forma de corrección supone, desde luego, una estratagema y no una enseñanza positiva. El perro, en este caso, no asocia su castigo con nosotros o con la correa, sino que cree que ha sido culpa suya penetrar dentro del radio de acción de aquélla.

Supongamos que nuestro animal, gracias a su inteligencia, ha aprendido rápidamente a sentarse y a avanzar correctamente y que lleva a cabo ambas acciones de un modo impecable. Ha llegado entonces el momento de pasar, con nuestro alumno y nuestra sonrisa de triunfo, a la tanda siguiente de ejercicios.

6

Adiestramiento para permanecer quieto en la posición de sentado

Hemos enseñado a nuestro perro una señal con la mano para que inicie el avance, y ha llegado ahora el momento de enseñarle cómo permanecer quieto, mientras se encuentra en la posición de «sentado», mediante otra señal con la mano que venga a complementar la orden oral en este ejercicio. También le enseñaremos la forma de obedecer a una señal con la mano, para que se siente solamente, y ello partiendo de una posición frente al perro.

POSICION «¡SENTADO-QUIETO!»

Comencemos con el «¡sentado-quieto!», pues después de aprender los ejercicios correspondientes a «¡siéntate!» y «¡avanza!», se encontrará en una posición natural para aprender esta nueva lección.

Comencemos con el perro en la posición ya familiar de sentado, para iniciar el avance junto a nuestro lado izquierdo. La correa se halla recogida, en la forma usual, en nuestra mano derecha. Entonces, hagamos descender la mano izquierda, con la palma hacia abajo, y posémosla con los dedos orientados hacia el suelo, frente a su hocico. Demos la orden de «¡sentado-quieto!». Al darla, apartémonos del perro, utilizando para ello la pierna derecha.

Procede recordar, a este respecto, que cuando enseñamos a nuestro alumno a avanzar, siempre movíamos primero nuestro pie **izquierdo**. Esto tenía como fin suprimir el fuerte apoyo que suponía esta pierna para el perro, de forma que éste supiese que nos apartábamos y él debía seguir. Esta vez, al enseñarle el «¡sentado-quieto!», queremos que permanezca donde está y, a tal fin, avanzamos primero la otra pierna, o sea la derecha.

Al avanzar, debemos pasar la correa desde la mano derecha a la izquierda y, tras el gran paso dado, girar para dar frente al perro. Debemos sostener la correa en posición elevada y algo tensa para controlarlo, repitiendo, mientras le damos frente: «¡sentado-quieto!». Nuestra repetición de la orden y la tensión de la correa, sostenida con el brazo extendido sobre la cabeza del perro, persigue impedir que el animal nos siga en nuestro movimiento.

Cuando nos resulta posible movernos en círculo alrededor de nuestro perro (aproximadamente a unos 5 metros de él) y éste permanece en posición «sentado-quieto», ello supone que ha aprendido bien la orden

Si se mantiene en la posición de sentado al recibir la orden, y mientras permanecemos frente a él, invirtamos el movimiento que acabamos de hacer y volvamos de nuevo a su lado. Repitamos todo el proceso una y otra vez hasta que se siente con decisión al recibir la orden y cuando nos apartamos de su lado, sepa claramente qué es lo que queremos que haga. Tras ello, podemos variar el proceso dando un paso hacia la izquierda, otro a la derecha, cuando nos situamos frente a él, y finalmente nos moveremos en forma completa a su alrededor, siempre terminando a su lado y, siempre comenzando también, con el primer paso hacia adelante y el giro para darle frente. Repitamos una y otra vez la orden de «¡quieto!» para que se mantenga en la posición adecuada, y ello con tanta frecuencia como sea necesario. Si muestra algún indicio de que va a levantarse y venir hacia nosotros, pronunciemos la orden en tono autoritario.

La correa que ahora sostenemos con nuestra mano izquierda, a la cual la pasamos al dar un paso hacia adelante y apartándonos del perro, nos deja la mano derecha libre. Esta mano debe mantenerse hacia adelante y en dirección al perro, con la palma hacia arriba y los dedos apuntados en igual sentido, formando el signo de «¡quieto!». Aun cuando los dedos apuntaban hacia abajo cuando hicimos primero la señal frente al hocico del animal, al apartarnos de éste, la palma orientada hacia el perro supone para éste la señal visual de la orden de «¡quieto!», tanto si los dedos están dirigidos hacia arriba como hacia abajo.

SEGUNDO PASO EN EL «¡SENTADO-QUIETO!»

Cuando el alumno permanece ya en la posición de «¡sentado-quieto!» durante diez o quince segundos, mientras nosotros nos apartamos un paso en varias direcciones y sostenemos la correa a una distancia de la longitud del brazo, por encima de su cabeza, para controlar su movimiento, podemos comenzar la segunda fase de este ejercicio.

Sustituyamos la correa por una cuerda delgada (pero fuerte) de nilón que tenga unos diez metros de longitud. Repitamos la misma rutina de «¡siéntate-quieto!» de cuando el perro llevaba una correa en lugar de la cuerda con la que ahora la hemos sustituido. Pero esta vez no intentemos sostener la cuerda por encima de la cabeza del perro para controlarlo, como hicimos anteriormente. En lugar de ello, dejemos que la cuerda se mantenga floja. Cuando el ejercicio haya terminado a nuestra entera satisfacción, alabemos sin reservas a nuestro alumno.

Una vez más, deberemos repetir toda la rutina desde un principio. Sin embargo, al alejarnos del perro no demos sólo un paso, sino dos. Observemos al perro con gran atención, preparados para impedir cualquier movimiento hacia nosotros con un enérgico «¡sentado-quieto!». Movámonos a su alrededor en círculo y ensanchemos ése a medida que vayamos avanzando, hasta que hayamos utilizado la mitad de la cuerda y podamos movernos en torno al perro a una distancia de unos cinco metros. Volvamos a su lado y a la posición correcta junto a él, y soltémoslo. Si permanece sentado y quieto todo un minuto mientras damos vueltas a su alrededor, ha aprendido correctamente la lección.

En cambio, si no permanece en dicha posición mientras nos alejamos de él, comencemos el ejercicio apartándonos hacia un lado. Esto suele corregir cualquier tendencia que pueda mostrar a levantarse y a seguirnos.

La mayoría de adiestradores utilizan la señal de palma hacia el perro para la posición «¡sentado-quieto!» tal como hemos indicado anteriormente. Resulta lógico utilizarla cuando nos alejamos del lado de nuestro perro, pero, de acuerdo con la experiencia, es un gesto algo forzado cuando nos encontramos frente al perro. Personalmente, prefiero valerme del índice de la mano derecha, levantado y en actitud algo autoritaria, como señal de «¡sentado-quieto!», una vez nos hayamos apartado del lado del perro y nos hayamos situado frente a él.

ADIESTRAMIENTO PARA LA POSICION DE «¡ECHATE!»

Existen diversas maneras de efectuar este ejercicio, circunstancia que depende de cada perro, así como de su tamaño y su temperamento. Si nuestro perro es pequeño, el método

La raza de pastor alemán está especialmente dotada para labores de guarda

BEWARE
GUARD
DOG

más fácil es comenzar de la forma usual con el animal en posición de «sentado» a nuestro lado izquierdo. Con la correa recogida en la mano derecha, apoyemos la izquierda sobre el perro y con la palma hagamos presión sobre sus hombros (omoplatos) hasta que le obliguemos a echarse, acompañando este empujón hacia abajo con la orden vocal de, por ejemplo, «¡Tom, échate!». Repitamos la palabra «¡échate!» una y otra vez, para mantenerlo en la posición de echado una vez hayamos conseguido que la adopte.

Si nuestro perro pertenece a una de las razas de mayor tamaño y se resiste a nuestro empuje hacia abajo, hasta el punto de que resulte casi imposible conseguir nuestro objetivo, entonces deberemos enfocar este ejercicio desde un ángulo diferente.

Comencemos con la posición «¡sentado-quieto!» y, cuando nos encontremos frente al alumno, alarguemos la mano mientras damos la orden, cojamos las patas delanteras del perro justo por encima de los pies, y atraigamos éstos hacia nosotros. Esta acción dará lugar a que el cuerpo del animal descienda hasta el suelo y se encuentre en la posición de «echado». Tan pronto como haya adoptado sin querer esta postura, situemos la palma de la mano sobre sus hombros, y presionemos hacia abajo para mantenerlo así, mientras repetimos la orden una y otra vez.

En el caso de que nuestro perro se muestre tozudo y persista en su negativa a obedecer la orden de «¡échate!», y los intentos descritos fracasen, todavía podemos recurrir a otro método. Comencemos de nuevo como anteriormente, a partir de la posición «¡sentado-quieto!», y ocupando nosotros la posición frente al perro. Sostengamos la correa en la mano izquierda, con el margen suficiente para que cuelgue a pocos centímetros del suelo. Pongamos ahora el pie izquierdo sobre la correa, de forma que la parte más baja se encuentre bajo la planta. Pronunciemos la orden de «¡échate!» y, simultáneamente, levantemos la correa y presionemos con el pie hacia el suelo. Esta acción tensará el collar de cadena y ejercerá una presión hacia abajo sobre el perro, obligándole a adoptar la posición deseada.

7

El adiestramiento para la orden «¡ven!»

En un capítulo anterior hemos subrayado el hecho de que nunca debemos reprender o castigar a nuestro perro cuando ha venido hacia nosotros, independientemente del motivo que lo haya movido a hacerlo. Si no hemos seguido este consejo, o bien si lo hemos olvidado, pagaremos nuestra negligencia en el ejercicio de «ven cuando te llame».

La obediencia exacta a esta orden resulta absolutamente esencial, ya que puede salvar la vida de nuestro perro y ahorrarnos problemas. No existe nada más exasperante que intentar coger un perro libre que no quiere venir a nuestro lado. Nuestro alumno ha aprendido los rudimentos de la orden «¡ven!», al igual que ha hecho con varias de las otras directrices, cuando era mucho más joven. Pero ahora ha llegado el momento de condicionarlo para que obedezca en forma fiel, absoluta y con presteza, a partir del momento en que se da la orden.

Para comenzar este ejercicio (conocido en prácticas de obediencia como «llamada») situemos al alumno en posición «sentado» a nuestro lado, dándole la orden y la señal con la mano de «¡sentado-quieto!», y nos alejaremos de él por delante, hasta alcanzar el límite de longitud de la correa flojamente sostenida en nuestra mano derecha. Ordenémosle, por ejemplo, «¡Spot, ven!», en un tono enérgico de voz y tirando simultáneamente de la correa para dirigirlo hacia nosotros. Guiémoslo hasta una posición frente a nosotros con rápidos tirones de la correa y la orden dada con energía. Cuando haya cumplido con lo que es nuestro deseo, acariciémoslo y alabémoslo sin reservas.

Recordemos que le hemos dado una orden directa, es decir, la de «¡quieto!», que ahora le pedimos ignorar y, si hemos conseguido adiestrarlo de verdad y bien, a él le resultará difícil responder sin cierta renuencia. Debido a que el alumno se muestra remiso a desobedecer la orden de «¡quieto!», deberemos hacer lo que podamos para convencerlo de que acate la orden de llamada. Nuestra posición mientras damos la orden supondrá una ayuda. Arrodillémonos, agachémonos o inclinémonos todo lo posible hacia él; son todas ellas posiciones que ejercen un efecto inductor sobre el perro, es decir, actúan como desencadenantes de un impulso irrefrenable de moverse hacia nosotros. Golpeemos suavemente nuestra rodilla como señal manual, que, al mismo tiempo, constituye un elemento de ayuda para instarle a que venga hacia donde nos encontramos.

No le demos la orden de «¡siéntate!» cuando haya alcanzado una posición que se encuentre directamente frente a nosotros. El cumplimiento de la orden «¡ven!» es suficiente para que merezca nuestra alabanza sin reservas. Si debe sentarse frente a nosotros, al completar el ejercicio de «¡ven!», ello constituye una acción adicional.

UTILIZACION DE LA CUERDA LARGA

Una vez el alumno haya comprendido la orden de «¡ven!» y la ejecute con encomiable rapidez atado a la correa, el próximo paso es adiestrarlo para que venga desde una distancia mayor, mediante la utilización de una cuerda larga. Suprimamos, pues, la correa y sujetemos la cuerda de nilón a su collar. Partiendo de la posición de «sentado», utilicemos la cuerda exactamente de la misma manera que la correa, pero desde una distancia mayor. Apartando la cuerda a un lado mientras nos alejamos del perro, evitaremos que pueda enredarse en ella. También cabe señalar que es mejor, en esta fase, no intentar enrollar la cuerda mientras se acerca a nosotros, ya que esto implicaría tener ambas manos ocupadas y no poder hacer la señal con la mano.

Cuando nuestro perro viene hacia nosotros rápidamente y sin vacilación, al proferir la orden de, por ejemplo, «¡Spot,

←

Este Chesapeake Bay Retriever se zambulle en el agua tras una orden ven!», combinemos ésta con la de «¡siéntate!», y, cuando ya se encuentre a corta distancia, frente a nosotros, digamos «¡siéntate!», para que lleve a cabo esta acción frente a nosotros.

CORRECCION DE ERRORES EN EL EJERCICIO DE LLAMADA

Si el perro pone de manifiesto una actitud apática respecto a la llamada, si camina lentamente hacia nosotros en lugar de hacerlo con el vigor y el interés que se supone debería mostrar, entonces será necesario enrollar la cuerda mientras se acerca, de forma que nos sea posible mantenerla tensa y ayudarle a moverse con un paso más vivo mediante tirones rápidos y algo enérgicos de la cuerda.

Mientras tanto, nos moveremos hacia atrás para alejarnos del perro. Quizá veamos que deberemos retroceder ante él mediante rápidos pasos, para conseguir que nos siga con creciente presteza.

A partir del momento en que un perro haya dejado de cumplir la orden de «¡quieto!» para obedecer la de llamada, puede ocurrir que comience a moverse prematuramente y a seguirnos tan pronto como nos alejemos de él. Riñámosle diciéndole «¡no!», y haciendo que permanezca en la posición de «quieto» hasta que le demos la orden de «¡ven!». Cuando le demos frente para pronunciar la última orden, esperemos unos pocos segundos, manteniéndole en la posición de «quieto» antes de que demos la orden de llamada. Movámonos unos pasos hacia la izquierda y luego hacia la derecha, antes de volver a situarnos directamente delante de él y librarlo de la posición «quieto» con la nueva orden de llamada.

Recordemos que la visión de nuestro perro no es comparable con su oído o su sentido del olfato, por cuyo motivo, cuando lo llamemos desde una cierta distancia, es mejor no valerse de la señal con la mano, ya que puede confundirla con una señal visual utilizada por nosotros para alguna de las otras órdenes. Utilicemos sólo la orden oral y, después de que actúe correctamente ante ella, no existe razón por la cual debamos darla a gritos, pues su capacidad auditiva es mucho mayor que la de cualquier ser humano.

Dar las órdenes a gritos, según enseñan muchos adiestradores en técnicas de obediencia, para ser repetidas por sus alumnos humanos, que, a su vez, las utilizan en sus animales para conseguir sumisión, no es ni mucho menos una medida necesaria o deseable. Sólo al principio del adiestramiento debe ser la voz del adiestramiento apreciablemente fuerte. Cada orden debe ser expresada claramente y con buena dicción, al objeto de que pueda ser comprendida por el alumno y diferenciada de las demás. A medida que el perro se vaya familiarizando con las órdenes y actúe con rapidez, seguridad y continuidad, el nivel de voz del adiestrador puede reducirse apreciablemente, hasta que todas las órdenes se den en un tono de conversación, fácil pero claro.

COMBINACION DE ORDENES

Combinando todas las lecciones que nuestro perro ha aprendido hasta este punto, podemos llevarlo a través de una pauta muy satisfactoria de obediencia y conseguir de él una actuación que constituya un brillante tributo a nuestra capacidad como adiestrador y a la competencia mental de nuestro alumno.

Comenzando con la orden de «¡siéntate!», hacemos pasar el perro, rápidamente, a la posición de «¡avanza!», ejecutando varios giros y ochos. Terminado el «avance», nuestro alumno se «sienta» de nuevo a nuestro lado. Ejecutamos entonces la posición «sentado-quieto» seguida por la de «echado-quieto», y, después de movernos en torno al perro hasta situarnos a un lado, detrás y frente a él para ilustrar su nivel de seguridad en la posición «quieto», volvemos a su lado y le ordenamos de nuevo que adopte la posición «sentado». A partir de «quieto», en esta posición nos alejamos de él para el ejercicio de llamada en que volverá a sentarse frente a nosotros.

Ahora debemos enseñarle la posición «término», la cual no es otra cosa que llevarlo de nuevo a la de «sentado» en nuestro lado izquierdo.

→

Un Standard Schnauzer aprendiendo a avanzar. Elizabeth G. Hanrahan, propietaria

EL «TERMINO»

Nuestro perro, después de la llamada, se encuentra sentado frente a nosotros, y lo que debemos hacer es conseguir que dé la vuelta y se oriente en la misma dirección en que nos encontramos, para situarse a nuestro lado izquierdo. Para conseguirlo, se requiere usar de nuevo la correa. Sostengámosla en nuestra mano izquierda y situemos la derecha, con la palma hacia abajo, sobre la correa, en un punto entre nosotros y nuestro perro, y, mediante presión ejercida con la mano derecha, atraigamos el animal hacia nuestra derecha. Mientras hacemos esto, retrocedamos la pierna derecha —dejando el pie y la pierna izquierda en la posición que tenían— y demos la orden, por ejemplo, de «¡Tim, avanza!». Mientras llevamos al perro hacia una posición detrás de nosotros, con su hocico dirigido hacia nuestro lado izquierdo, pasemos la correa de una mano a la otra, primero detrás y luego delante, terminando con ella en la mano derecha, mientras llevamos la pierna derecha de nuevo a su posición anterior, junto a nuestra pierna izquierda.

Tan pronto como el perro haya alcanzado la posición de avance junto a nuestro lado izquierdo, démosle la orden de «¡siéntate!», y el ejercicio habrá terminado. Esto quizá parezca mucho más complicado de lo que realmente es. Estudiemos las diversas instrucciones cuidadosamente durante unos pocos minutos, practiquemos si lo consideramos oportuno sin el perro, de forma que no cometamos errores, y comprobaremos que toda la serie de movimientos resulta de fácil ejecución.

La parte más difícil es conseguir convencer al alumno para que se mueva hacia la derecha y alrededor de nuestra pierna derecha para situarse detrás de nosotros. Todo el ejercicio debe ser ejecutado de un modo uniforme y fluido, sin tropiezos o vacilaciones durante el mismo. Conviene señalar que no debemos dar prematuramente la orden de «¡avanza!» en el «término». Dejemos que el perro se siente frente a nosotros durante unos pocos segundos, antes de dar la orden para el «término». De hecho, si no lo condicionamos para que haga una pequeña pausa entre el «¡siéntate!» frente a nosotros y el «¡avanza!» hasta llegar al «término», pronto eliminará, por iniciativa propia, la posición de «sentado» frontal o le concederá únicamente un reconocimiento simbólico, e inmediatamente pasará a la posición de avance para acabar con la de «término».

Mientras nuestro perro permanece en la posición «sentado-quieto», podemos enseñarle a acercarse cuando se lo ordenemos. Esta orden puede salvar la vida de un perro

COMENTARIOS

La señal con la mano que propugnamos anteriormente, en este mismo capítulo, para ser utilizada durante la orden de «¡ven!», fue meramente un medio adicional de inducir a nuestro perro a que abandonase la posición «quieto».

Más adelante explicamos que un perro, al ser llamado desde cierta distancia, puede confundir una señal con la mano con otra que acompañe una orden dada, pues la visión canina es limitada. Personalmente, utilizo la señal con la mano tal como se emplea en Alemania para el ejercicio de llamada, la cual, cuando se combina con otras dos señales efectuadas también con la mano, lleva el «término» a un final perfecto.

Utilicemos primero la orden oral de, por ejemplo, «¡King, ven!», y, mientras el perro se aproxima y llega a un punto en que su visión es clara y nuestros movimientos le resultan claramente visibles, llevémonos las manos con las palmas hacia arriba a la altura del pecho, con los codos pegados a los lados, las palmas apoyadas contra el pecho y los dedos orientados hacia arriba, apuntando a la barbilla. Golpeémonos el pecho con las palmas para provocar un sonido hueco, mientras el perro se acerca. Más adelante, cuando ya haya asimilado la acción, podemos eliminar este gesto a lo Tarzán y golpearnos simplemente el pecho, ligeramente, con las palmas de las manos.

Con el perro atento a la señal de golpeo contra el pecho y, por tanto, sentado frente a nosotros, procedamos a mover la mano izquierda, con los dedos hacia abajo, en sentido circular detrás de nosotros, tal como movíamos la mano para presionar sobre la correa y conseguir que el perro se moviese en torno nuestro hacia la derecha para el «término». Utilicemos la orden de «¡avanza!» con el movimiento de la mano.

Cuando se haya movido a nuestro alrededor y llegue a la posición de «sentado» junto a nuestro lado izquierdo, mantengamos la mano izquierda hacia abajo, con la palma orientada hacia su hocico, los dedos extendidos y apuntando hacia el suelo, en un movimiento de detención directamente frente a su cara. Para utilizar la última señal, la correa debe pasar desde la mano izquierda a la derecha.

Combinando la orden visual (mano) y la oral (voz) condicionamos a nuestro perro para que obedezca (mientras que, al mismo tiempo, subrayamos y prestamos mayor importancia a las órdenes vocales básicas). Más adelante, cuando nuestro perro actúe sin estar sujeto a la correa, no nos veremos obstaculizados por este elemento que tan importante resulta en los primeros tiempos del adiestramiento, y el perro, después de un cierto tiempo, sólo reaccionará ante las señales efectuadas con la mano si es nuestro deseo que así sea.

8

Final del adiestramiento básico

Nosotros y nuestro alumno nos encontramos ahora en el tramo final del período de adiestramiento. De hecho, si debiéramos abandonar ahora tendríamos, a todos los efectos generales, un ciudadano canino muy bien adiestrado y de excelente conducta.

Sin embargo, vamos a pulir un poco más la educación básica de nuestro alumno y a enseñarle las posiciones de «¡de pie!» y «¡de pie-quieto!». Estas órdenes, una vez aprendidas, nos resultarán de ayuda para asear y lavar al perro con mayor facilidad, y supondrán un adiestramiento excelente para la pista de exhibición en el caso de que llegue a ser un ejemplar de categoría suficiente para concurrir a exposiciones y concursos. Este es, asimismo, un ejercicio obligatorio en las pruebas de obediencia.

Muchos de quienes participan en exposiciones caninas nos dirán que no conviene adiestrar al perro en prácticas de obediencia si es nuestra intención concurrir a competiciones y concursos. Al parecer, después de muchas consideraciones, oponen fuertes objeciones a la posición «sentado» a nuestro lado que un animal adiestrado adopta cuando nos detenemos. Sin embargo, con este nuevo ejercicio confundimos a tales objetores, debido a que, al dar la orden, podemos provocar que el perro se ponga de pie en lugar de sentarse. Otra ventaja que cabe hallar en adiestrar nuestro perro para que responda a esta orden de «¡en pie!», es la de mantener una limpieza básica durante un tiempo inclemente. Si sacamos a pasear al perro durante un tiempo lluvioso o de nieve y nos detenemos a hablar con un vecino o un amigo, la orden «¡de pie-quieto!»

evitará que nuestro perro se siente sobre el barro o el agua y se ensucie las partes inferiores.

LA ENSEÑANZA DE LA POSICION «DE PIE-QUIETO»

Adoptemos nuestra posición usual de partida con el perro en posición «sentado» junto a nosotros. Comencemos a movernos hacia adelante, dando la orden de «¡avanza!». Después, al llegar al punto de detención, en que nuestro alumno adopta ordinariamente la posición «sentado» a nuestro lado, bajemos rápidamente la mano izquierda, coloquémosla bajo su vientre y mantengámoslo levantado (o evitemos que se siente), dando al mismo tiempo la orden: «¡de pie!». Si hemos seguido las instrucciones desde el principio de este libro, nos veremos ayudados en nuestro empeño por el adiestramiento inicial que dimos al cachorro para que se mantuviera de pie mientras lo reteníamos a la distancia del brazo.

Una vez hayamos conseguido que el perro obedezca la orden «¡de pie!», hagamos descender la palma de la mano hasta situarla frente a su cara, dando la orden de «¡quieto!» y alejándonos de él. Su postura cabe que sea lamentable, pero no intentemos corregirla hasta que haya alcanzado la perfección en su reacción a la orden de «¡de pie-quieto!».

En este punto de su adiestramiento, resulta necesario introducir un tercero, es decir, alguien que quiera hacernos el favor de caminar alrededor del perro, tocándolo aquí y allá más o menos como lo haría un juez en la pista de competición durante su examen, mientras el animal, obedeciendo a nuestra orden «¡de pie-quieto!», permanece absolutamente inmóvil.

Cuando volvamos al lado del perro, démosle la orden «¡de pie-quieto!» otra vez, para que permanezca en dicha posición, pues su tendencia será la de sentarse tan pronto como lleguemos junto a él. En este ejercicio, la correa debe utilizarse lo menos posible. Simplemente, dejemos que cuelgue con un cómodo margen durante toda la actuación.

Cuando la lección haya sido aprendida, demos una vuelta a su alrededor al regresar a su lado, como lo hicimos en las posiciones «sentado-quieto» y «echado-quieto», y toquémoslo suavemente aquí y allá. Si vuelve la cabeza para mirarnos, empujémosla suavemente para que mire hacia adelante.

Durante el adiestramiento básico, es importante hacer un buen uso del collar y la correa. Más adelante, cuando el perro ya está condicionado para responder a las órdenes que ha aprendido, cabe suprimir la correa

ORDENES COMBINADAS

Una vez más, como siempre hemos hecho, sigamos toda la serie de órdenes. Asegurémonos de que nuestro perro distingue entre «¡sentado-quieto!» y «¡de pie-quieto!». Si tenemos a nuestro alumno en la posición «sentado-quieto» a nuestro lado, y deseamos darle la orden de «¡de pie-quieto!», demos uno o dos pasos hacia adelante para conseguir que se ponga en pie en forma natural, antes de dar la orden. Unas cinco sesiones serán suficientes para que consiga la perfección.

Trabajemos con nuestro perro, manteniendo frescas las órdenes y los reflejos condicionados vinculados a ellas. Llevémoslo cuando vayamos de compras o de visita, para que aprenda a obedecer bajo diferentes circunstancias ambientales.

Después de estar seguros de que nuestro perro obedecerá todas y cada una de las órdenes que le hemos enseñado en forma uniforme y perfecta, deberemos suprimir la correa y someterlo a toda la serie de ejercicios, pero en situación de libertad.

PRACTICAR SIN CORREA

Cuando comenzamos a enseñar a nuestro perro a avanzar sin correa, es mejor al principio, si tiene la suficiente altura hasta el hombro, introducir un dedo bajo el collar de cadena para ejercer cierto control físico. Reduzcamos después, paulatinamente, este control hasta que nuestro alumno avance en forma libre, natural y correcta.

No debemos precipitarnos para entrar en esta fase de adiestramiento, pues, si lo hacemos, muy bien podemos destruir los logros conseguidos hasta entonces. Ello supone que debemos estar absolutamente seguros de que nuestro perro se halla en condiciones de actuar sin correa, ya que si todavía necesita la ayuda de ésta en cualquiera de los ejercicios o en una pequeña fase de los mismos, resulta obvio que no está preparado para actuar en libertad. En resumen, nuestro alumno debe ser un estudiante absoluta y completamente seguro cuando se halla atado a la correa, antes de que le permitamos actuar sin ella.

Lo más conveniente, si ello es posible, es comenzar a preparar a nuestro perro sin correa en un espacio cerrado, donde sea fácil capturarlo en el caso de que resulte menos seguro de lo que habíamos pensado. Deberemos actuar en forma relajada y

El Terranova, un robusto perro de labor, puede ser adiestrado fácilmente como guardián del hogar. Aquí un Terranova goza correteando por el patio de su casa. Phil y Mary Lauer, Evangeline Kennels, propietarios

como si el perro estuviese atado a la correa y sometido a nuestro control, tanto como anteriormente, pues cualquier vacilación por nuestra parte se transmitirá al animal y se reflejará en su conducta.

Hablando en términos generales, comprobaremos que trabajar sin correa no plantea más problemas que hacerlo *con* ella y estamos seguros de que, si hemos seguido las instrucciones fielmente, nos sentiremos muy orgullosos de nuestro perro adiestrado.

Sólo una palabra de advertencia, aquí. A menudo, los perros actuarán con menor vigor y precisión cuando no se hallen atados a la correa. No permitamos que ello ocurra. Hagamos que nuestro perro actúe con todo el vigor y precisión de que hacía gala cuando se hallaba atado a la correa. Resulta muy fácil, tanto para nosotros como para nuestro animal, caer en una conducta descuidada una vez ha terminado la mayor parte del adiestramiento. Examinémonos primero, si nuestro alumno ha perdido su antigua vivacidad en la actuación. Quizá la causa de ello esté en nuestra actitud.

9

Premios extra de adiestramiento

Siempre existen algunas sugerencias más que dar, una palabra o dos a decir antes de que se consideren completas las explicaciones sobre adiestramiento, consejos que procede ofrecer acerca de cuestiones que no han sido cubiertas directamente por el adiestramiento general pero importantes en la conducta canina.

Uno de estos problemas no citados todavía, es el de ladrar. Algunos perros son ruidosos y ladran por cualquier motivo. Es su naturaleza obrar así, pues son miembros de una raza genéticamente ruidosa. La mayoría de amos de perros quieren controlar los ladridos de éstos y conseguir que dejen de hacerlo cuando se les conmina a ello. Para alcanzar este propósito, cogen al animal por el hocico y mantienen sus mandíbulas juntas y le dan la orden de «¡quieto!», pronunciada con energía. También puede utilizarse «¡no!», pero en este caso lo que hacemos es reñir al perro por haber cometido una falta, y con ello hacemos que se sienta culpable de haber dado una alarma cuyo fin era el de protegernos a nosotros, a nuestra familia y a nuestros bienes. Queremos que nos diga cuando algo va mal o cuando alguien se aproxima, pero también queremos que se calle cuando haya cumplido con este deber, y a tal fin le damos la orden oportuna. Por todas estas razones, la nueva orden de «¡quieto!» debe preferirse a «¡no!» o a «¡feo!».

En un capítulo anterior prometíamos dar más información sobre la forma de conseguir que nuestro perro pierda la costumbre de saltar sobre nosotros o nuestros amigos (que pronto serán nuestros enemigos, si esta conducta canina continúa). Cuando nuestro perro salta para apoyar sus pies delanteros en nuestro pecho o muslo, según su altura y la nuestra, debemos avanzar la rodilla rápidamente hasta situarla a la altura de su pecho, para hacerle perder el equilibrio, y, al mismo tiempo, reprenderlo con firmeza con la orden de «¡no!». Unas pocas repeticiones de esta forma de corrección deberán ser suficientes para desterrar esta mala costumbre.

Nuestro perro ha aprendido la orden de «¡alto!» durante su adiestramiento en técnicas de avance. Más adelante, nos cabrá apreciar que la utilidad de esta orden puede ser ampliada para detener cualquier actividad en la que el perro se halle ocupado en el instante en que deseemos que cese inmediatamente.

Si la orden de «¡alto!» se aprende bien, la misma nos ayudará inmensamente para controlar al perro que se halla libre de la correa, se ha asustado y huye corriendo. Algunas veces, una orden familiar que llega a través de la nube de temor que envuelve su mente lo detendrá y lo devolverá al punto de control.

Después de cada sesión de adiestramiento, acariciemos al perro y no le regateemos alabanzas por haberse mostrado buen estudiante. Ambos quizá queremos entretenernos un poco después del adiestramiento, jugando a lanzar algún objeto que el perro recoge en seguida

Al perro se le puede enseñar a traer una diversidad de objetos que previamente habremos lanzado. Cabe comenzar haciéndole recobrar un bastón

Existe una estratagema que los adiestradores alemanes utilizan para los perros que persisten en huir alocadamente cuando son liberados de la correa, y que funciona con una especie de magia animal.

El perro que muestra dicha conducta lo hace plenamente consciente del hecho de que, una vez ha puesto cierta distancia entre él y nosotros, no podremos alcanzarlo para castigarlo por su mala conducta. La estratagema consiste en demostrarle que está equivocado y, a tal fin, debemos emplear otro collar de cadena que sostendremos en la mano.

Cuando se ha escapado y no presta la menor atención a nuestras órdenes de que regrese, debemos lanzar el collar de cadena de forma que caiga muy cerca de él o bien le dé en sus jarretes. Su aplomo se desmoronará inmediatamente y se convertirá en temor. Hemos hecho lo que creía que éramos incapaces de hacer, es decir, alcanzarlo a distancia para castigarlo, y entonces volverá cuando se le ordene, cabizbajo y atemorizado por nuestro poder.

Dentro de la casa, cada perro debe tener un lugar que pueda considerar como propio, en el que se encuentre su cama y donde pueda dormitar en paz. A este punto debe hacerse referencia con la expresión «¡a tu lugar!», y cuando queramos que se aleje de nuestros pies por alguna razón buena y válida, dicha orden debe llevarlo corriendo a su santuario y hacer que permanezca en él hasta que sea llamado. Adiestrarlo es simplemente cuestión de identificar este lugar señalándolo con el dedo y repitiendo: «¡a tu lugar!». Más adelante, podemos ampliar la orden diciendo, por ejemplo, «¡Fido, ve a tu lugar!», y él obedecerá.

Algunos perros siempre llevan bastones y otros objetos en la boca, o nos los traen. Si el nuestro goza con esta forma de diversión, resultará fácil enseñarle a «traer». Repitamos esta orden cada vez que nos traiga algo, o bien lancemos un bastón u otro objeto, y ordenémosle que lo traiga. A la mayoría de

Parte del adiestramiento en labores de obediencia para estos perros (parte superior e inferior) ha incluido recobrar un objeto pasando por encima de un obstáculo

perros de caza cabe enseñarles fácilmente esta orden, así como a muchos otros miembros de otras razas. Más adelante, podemos ampliar esta orden para que incluya el periódico o nuestras zapatillas, si así lo deseamos.

Saltar es otra cosa divertida que a la mayoría de perros les gusta hacer. Adiestrarlos para que lo hagan al recibir la orden requiere solamente que nosotros nos unamos a él en el salto, llevándolo a nuestro lado en la acción y dando la orden de «¡salta!». En un abrir y cerrar de ojos, podremos dirigir al perro hacia un obstáculo, y lo saltará al dar nosotros la orden como si fuese un veterano corredor de obstáculos. Este ejercicio dará dividendos más adelante si deseamos seguir con las prácticas de obediencia, en particular si combinamos la recogida de objetos con el salto.

Nosotros y nuestro perro hemos alcanzado ahora un punto en el que constituimos un equipo bien adiestrado. Podemos enorgullecernos de nuestro éxito y de la predisposición y capacidad de adiestramiento de nuestro perro, que ha hecho posible que consigamos tal resultado como adiestradores. Hemos expuesto aquí todos los principios fundamentales necesarios para que el adiestramiento de nuestro perro resulte lo más fácil posible y, al llegar a este punto y a la correspondiente fase de adiestramiento que representa, es evidente que hemos utilizado, aprovechándolo al máximo, lo que aquí llevamos escrito. Si es nuestro deseo seguir con un adiestramiento más avanzado, debemos tener en cuenta que nosotros y nuestro perro contamos con la mejor base posible de preparación y que podemos adentrarnos en cualquier área de adiestramiento (dentro de los límites físicos y genéticos correspondientes) que deseemos. El interesante mundo del adiestramiento canino se halla a nuestro alcance. ¡Buena suerte!

Airedale aprendiendo a dar la mano →

10

Adiestramiento en técnicas de obediencia y de pruebas de competición

Dentro del ámbito de las competiciones en pruebas de obediencia, existen áreas adecuadas para el neófito que resultan extremadamente interesantes, pues, aparte de permitir reunirnos con otros poseedores de perros que, al igual que nosotros, se hallan interesados en el adiestramiento, nos facilitan, tanto a nosotros como a nuestro perro, el primer contacto con el mundo de la competición en forma fácil de asimilar. Si tenemos suerte (o somos competentes) podemos ganar un pequeño trofeo (siempre estimado) en estas competiciones informales. Tales competiciones probablemente nos despertarán el apetito para participar en otras pruebas de obediencia más excitantes y difíciles. Actuamos, en tales casos, bajo la atenta mirada de un juez que puntúa nuestro perro de acuerdo con su capacidad para llevar a cabo los diversos ejercicios. Existen cuatro categorías en estas pruebas de obediencia: principiantes, libres, utilidad y rastreo.

CATEGORIA PRINCIPIANTES

En la categoría principiantes el perro está juzgado sobre la base siguiente:

Puntuación máxima de la prueba

Avance sujeto a la correa 40
De pie para examen 30

Avance sin estar sujeto a la correa 40
Llamada (orden de venir) 30
Posición sentado durante un minuto (cuidador en la pista) 30
Posición echado durante tres minutos (cuidador en la pista) 30
Puntuación máxima total 200

Si el perro se clasifica en tres competiciones, consiguiendo por lo menos un 50% de los puntos en cada prueba y con un total de por lo menos 170, habrá ganado el título de «perro de compañía» y las iniciales C.D. (Companion Dog) aparecerán después de su nombre en los registros del Kennel Club.

COMPETICION EN CATEGORIA LIBRE

Después de que el perro haya conseguido su título de «perro de compañía», tiene derecho a participar en categoría libre y competir para el título siguiente. Será juzgado sobre la base siguiente:

Puntuación máxima de la prueba

Avance sin estar sujeto a la correa 40
Llamada 30
Recobramiento (palanqueta de madera) en terreno llano . 20
Recobramiento con obstáculo (valla) 30
Gran salto 20
Posición sentado durante tres minutos (cuidador fuera de la pista) 30
Posición echado durante cinco minutos (cuidador fuera de la pista) 30
Puntuación máxima total 200

También en este caso debe clasificarse en tres competiciones para conseguir el C.D.X. (Companion Dog Excellent), alcanzando por lo menos el 50% de los puntos en cada prueba y con un total mínimo de 170. En tal caso, tendrá derecho a participar en la categoría de utilidad, en la que puede obtener el título de Utility Dog (U.D.) en las difíciles pruebas siguientes:

CATEGORIA DE UTILIDAD

Después de que se haya concedido al perro su C.D.X. tendrá derecho a participar en la competición de utilidad (Utility Dog). Para poder inscribirse, es absolutamente necesario que sea un ejecutante muy completo, como pondrá de manifiesto el análisis de las pruebas implicadas.

Puntuación máxima de la prueba

Capacidad olfativa
(localización de un artículo previamente tocado por su propietario de entre un grupo o conjunto)
Artículo 1 20
Capacidad olfatica respecto al Artículo 2 30
Recobramiento dirigido 30
Ejercicios de señales (de avance, etc. mediante señales
con la mano) 40
Salto dirigido (sobre valla y sobre barra) 40
Examen colectivo 30
Puntuación máxima total 200

Nada se opone a que los perros que resulten descalificados en las competiciones de razas, debido a defectos neutralizantes o físicos, puedan participar en las pruebas que acabamos de describir. Cabe destacar, asimismo, que, aparte las formales de obediencia A.K.C. (American Kennel Club), existen otras pruebas informales, organizadas por muchos clubs locales de aficionados y por los clubs de obediencia para todo tipo de razas, en las que los perros compiten para conseguir cintas y trofeos de poco valor. De hecho, son muchas las localidades que organizan sus propias pruebas de obediencia. La revista canina local, el propietario de la tienda de animales o el club canino pueden tenernos informados acerca de tales competiciones en nuestra vecindad, las cuales encontraremos anunciadas en las diversas revistas caninas o en las columnas de animales de nuestro periódico habitual.

PRUEBAS DE RASTREO

Para inscribir en una prueba de rastreo a nuestro animal, a fin de demostrar su capacidad en este campo, es preciso que primero lo observe y apruebe un juez colegiado de esta especialidad. Después, para clasificarse, el perro deberá seguir la prueba establecida por una persona desconocida, bajo unas condiciones específicas, en competencia por lo menos con otros tres perros y bajo la observación de dos jueces calificados de rastreo.

Las pruebas de rastreo se realizan, generalmente, por separado de las otras pruebas de obediencia. El perro actúa sujeto a una larga correa sostenida por su cuidador y debe haber sido adiestrado hasta el grado *N* para clasificarse. Por lo común, los perros participan en las competiciones de rastreo habiendo obtenido previamente su título de U.D., y si se clasifican como perro de rastreo (T.D.) simplemente añaden una *T* después de las iniciales U.D., con lo que su título completo es el de Utility Dog Tracker (U.D.T.).

Si nos tomamos verdaderamente en serio el adiestramiento en pruebas de obediencia y nos entregamos de lleno a la preparación para participar en las más difíciles pruebas de obediencia y perfeccionamiento, asegurémonos primero de que nuestro perro es capaz de aprender todo lo que deseamos enseñarle, que se muestre dispuesto a ello y se encuentre físicamente en condiciones para llevar a cabo los ejercicios necesarios. Si no es así, contentémonos con tener un perro bien adiestrado y, para participar en las difíciles pruebas de obediencia, consigamos otro animal que responda a todas las condiciones necesarias para convertirlo en un participante de altos vuelos en esta difícil especialidad de la competición canina.

Indice